연산부터 문해력까지
풍산자 연산으로
초등 수학을 시작해요.

연구진

이상욱 풍산자수학연구소 책임연구원
박승환 풍산자수학연구소 선임연구원
최미현 풍산자수학연구소 연구원
석정아 풍산자수학연구소 연구원

검토진

강민성(경북), **고정숙**(서울), **고효기**(경북), **김경구**(경북), **김미란**(경북), **김수진**(서울), **김정화**(경북), **남협희**(경북),
민환기(경북), **박성호**(경북), **박찬훈**(경북), **방윤희**(광주), **심평화**(서울), **심소연**(서울), **안승해**(경북), **유경혜**(경북),
유영혜(경북), **이세령**(서울), **이재승**(경북), **조재흡**(경북), **주진아**(경북), **추형식**(경북), **홍선유**(광주)

풍산자 연산

초등 연산의 모든 것

초등 수학 5-2

구성과 특징

1일 차 학습 주제별 연산 문제를 풍부하게 제공합니다.

주제별 알아야 하는 개념을 살펴봐요.

많은 문제로 연산을 연습해요.

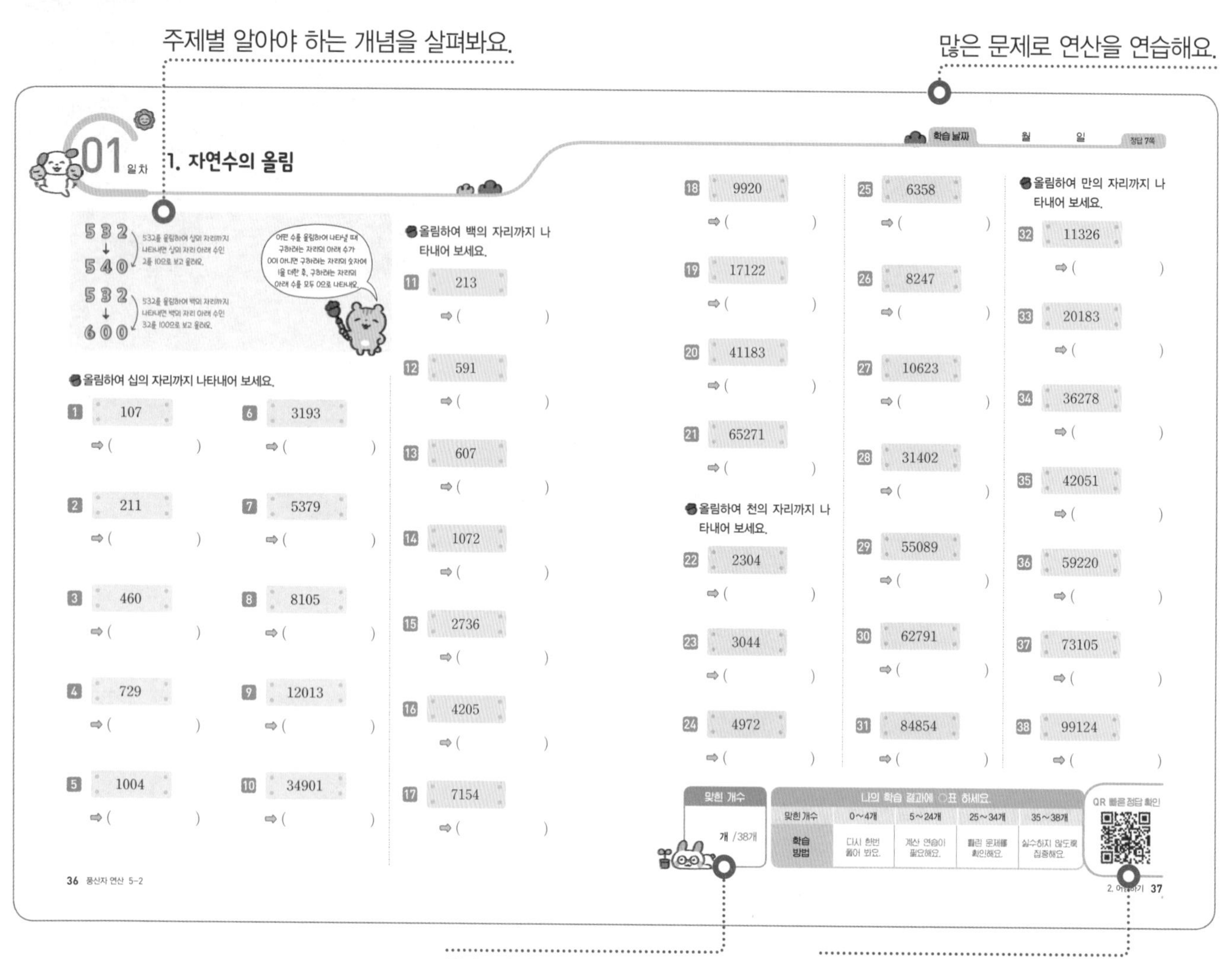

01 일차 1. 자연수의 올림

학습 날짜 월 일 정답 7쪽

532 → 540: 532를 올림하여 십의 자리까지 나타내면 십의 자리 아래 수인 2를 10으로 보고 올려요.

532 → 600: 532를 올림하여 백의 자리까지 나타내면 백의 자리 아래 수인 32를 100으로 보고 올려요.

어떤 수를 올림하여 나타낼 때 구하려는 자리의 아래 수가 0이 아니면 구하려는 자리의 숫자에 1을 더한 후, 구하려는 자리의 아래 수를 모두 0으로 나타내요.

올림하여 십의 자리까지 나타내어 보세요.

1. 107 ⇨ ( )
2. 211 ⇨ ( )
3. 460 ⇨ ( )
4. 729 ⇨ ( )
5. 1004 ⇨ ( )
6. 3193 ⇨ ( )
7. 5379 ⇨ ( )
8. 8105 ⇨ ( )
9. 12013 ⇨ ( )
10. 34901 ⇨ ( )

올림하여 백의 자리까지 나타내어 보세요.

11. 213 ⇨ ( )
12. 591 ⇨ ( )
13. 607 ⇨ ( )
14. 1072 ⇨ ( )
15. 2736 ⇨ ( )
16. 4205 ⇨ ( )
17. 7154 ⇨ ( )
18. 9920 ⇨ ( )
19. 17122 ⇨ ( )
20. 41183 ⇨ ( )
21. 65271 ⇨ ( )

올림하여 천의 자리까지 나타내어 보세요.

22. 2304 ⇨ ( )
23. 3044 ⇨ ( )
24. 4972 ⇨ ( )
25. 6358 ⇨ ( )
26. 8247 ⇨ ( )
27. 10623 ⇨ ( )
28. 31402 ⇨ ( )
29. 55089 ⇨ ( )
30. 62791 ⇨ ( )
31. 84854 ⇨ ( )

올림하여 만의 자리까지 나타내어 보세요.

32. 11326 ⇨ ( )
33. 20183 ⇨ ( )
34. 36278 ⇨ ( )
35. 42051 ⇨ ( )
36. 59220 ⇨ ( )
37. 73105 ⇨ ( )
38. 99124 ⇨ ( )

맞힌 개수: 개 /38개

나의 학습 결과에 ○표 하세요.

맞힌 개수	0~4개	5~24개	25~34개	35~38개
학습 방법	다시 한번 풀어 봐요.	계산 연습이 필요해요.	틀린 문제를 확인해요.	실수하지 않도록 집중해요.

QR 빠른 정답 확인

36 풍산자 연산 5-2

2. 어림하기 37

학습 결과를 스스로 확인해요.

QR로 간편하게 정답을 확인해요.

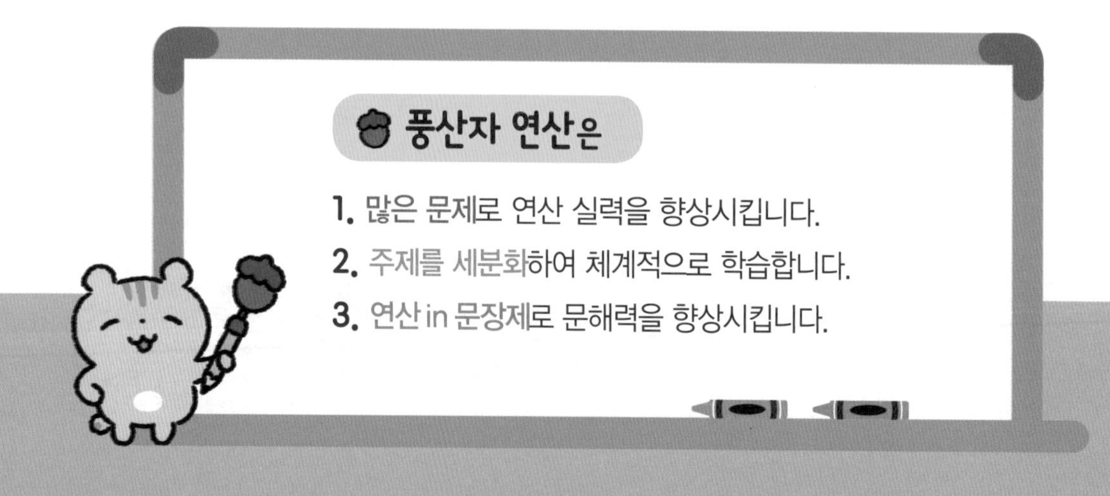

2일 차 연산을 반복 연습하고, 문장제에 적용하도록 구성했습니다.

반복 연습으로 연산 실력을 키워요.

문장제로 문해력과 연산 실력을 함께 키워요.

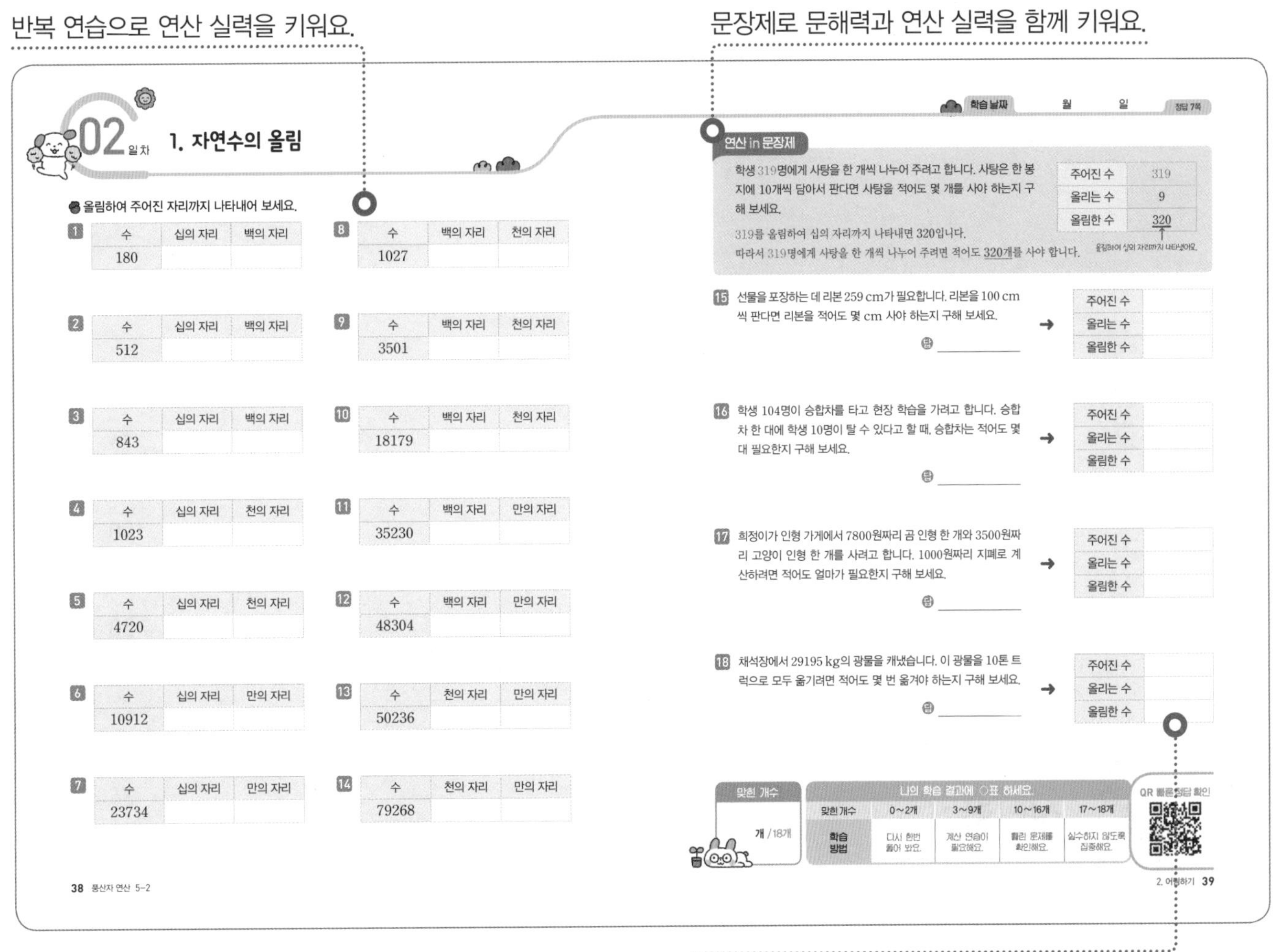

02 일차 1. 자연수의 올림

● 올림하여 주어진 자리까지 나타내어 보세요.

1

수	십의 자리	백의 자리
180		

2

수	십의 자리	백의 자리
512		

3

수	십의 자리	백의 자리
843		

4

수	십의 자리	천의 자리
1023		

5

수	십의 자리	천의 자리
4720		

6

수	십의 자리	만의 자리
10912		

7

수	십의 자리	만의 자리
23734		

8

수	백의 자리	천의 자리
1027		

9

수	백의 자리	천의 자리
3501		

10

수	백의 자리	천의 자리
18179		

11

수	백의 자리	만의 자리
35230		

12

수	백의 자리	만의 자리
48304		

13

수	천의 자리	만의 자리
50236		

14

수	천의 자리	만의 자리
79268		

38 풍산자 연산 5-2

학습 날짜 월 일 정답 7쪽

연산 in 문장제

학생 319명에게 사탕을 한 개씩 나누어 주려고 합니다. 사탕은 한 봉지에 10개씩 담아서 판다면 사탕을 적어도 몇 개를 사야 하는지 구해 보세요.

319를 올림하여 십의 자리까지 나타내면 320입니다.
따라서 319명에게 사탕을 한 개씩 나누어 주려면 적어도 320개를 사야 합니다.

주어진 수	319
올리는 수	9
올림한 수	320

올림하여 십의 자리까지 나타냈어요.

15 선물을 포장하는 데 리본 259 cm가 필요합니다. 리본을 100 cm씩 판다면 리본을 적어도 몇 cm 사야 하는지 구해 보세요.

답 ____________ → 주어진 수 / 올리는 수 / 올림한 수

16 학생 104명이 승합차를 타고 현장 학습을 가려고 합니다. 승합차 한 대에 학생 10명이 탈 수 있다고 할 때, 승합차는 적어도 몇 대 필요한지 구해 보세요.

답 ____________ → 주어진 수 / 올리는 수 / 올림한 수

17 희정이가 인형 가게에서 7800원짜리 곰 인형 한 개와 3500원짜리 고양이 인형 한 개를 사려고 합니다. 1000원짜리 지폐로 계산하려면 적어도 얼마가 필요한지 구해 보세요.

답 ____________ → 주어진 수 / 올리는 수 / 올림한 수

18 채석장에서 29195 kg의 광물을 캐냈습니다. 이 광물을 10톤 트럭으로 모두 옮기려면 적어도 몇 번 옮겨야 하는지 구해 보세요.

답 ____________ → 주어진 수 / 올리는 수 / 올림한 수

맞힌 개수 개 /18개

나의 학습 결과에 ○표 하세요.

맞힌 개수	0~2개	3~9개	10~16개	17~18개
학습 방법	다시 한번 풀어 봐요.	계산 연습이 필요해요.	틀린 문제를 확인해요.	실수하지 않도록 집중해요.

QR 빠른 정답 확인

2. 어림하기 39

연산 도구로 문장제 속 연산을 정확하게 해결해요.

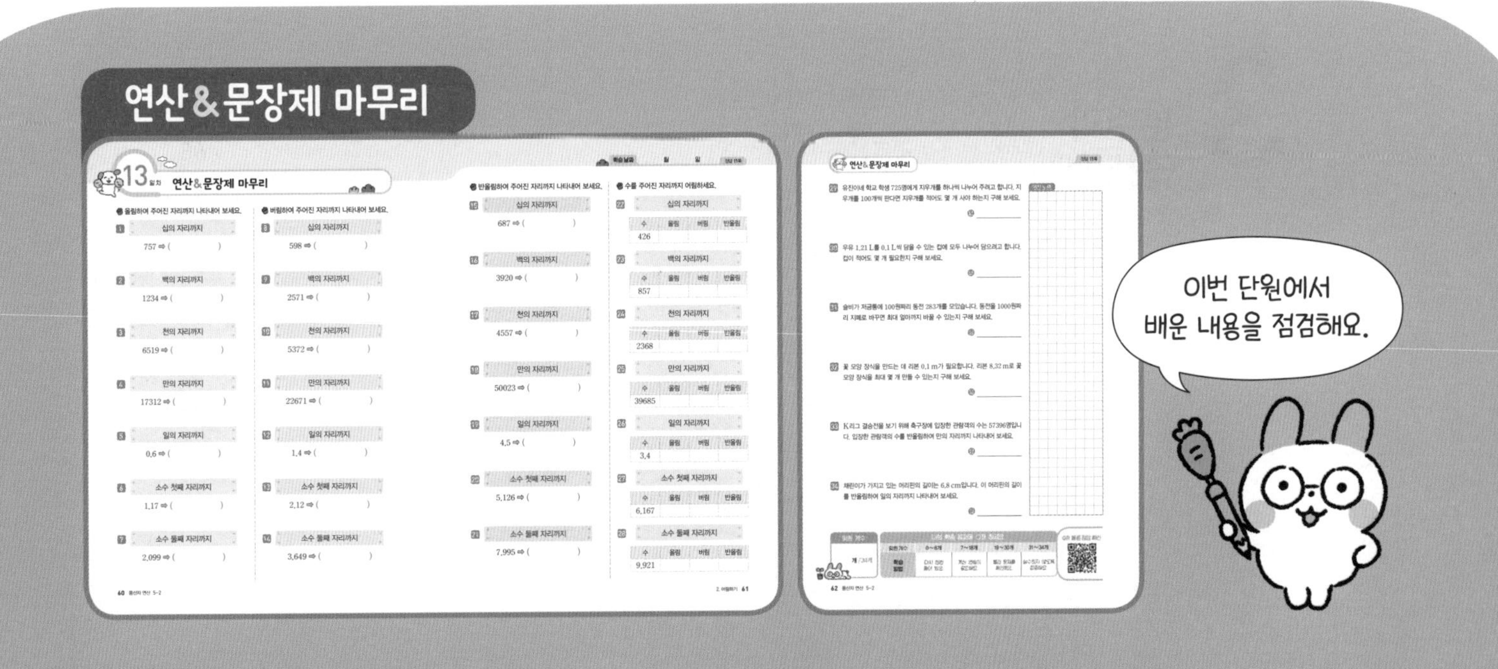

차례

1 수의 범위

2 어림하기

3 분수의 곱셈 (1)

함께 공부할 친구들

난 공부도 운동도
모두 즐기는 고양이야.

냥냥

난 모든 일에 끈기 있는
모범생 곰이야.

꼬미

난 무엇이든 잘하는
원숭이야.

몽이

총총이

난 선생님이 되고
싶은 토끼야.

난 가르치기 좋아하는
똑똑한 다람쥐야.

란란

수의 범위

학습 주제	학습 일차	맞힌 개수
1. 이상, 이하 알아보기	01일차	/20
	02일차	/13
2. 초과, 미만 알아보기	03일차	/20
	04일차	/13
3. 이상과 이하	05일차	/22
	06일차	/12
4. 초과와 미만	07일차	/22
	08일차	/12
5. 이상과 미만	09일차	/22
	10일차	/12
6. 초과와 이하	11일차	/22
	12일차	/12
연산 & 문장제 마무리	13일차	/27

1. 이상, 이하 알아보기

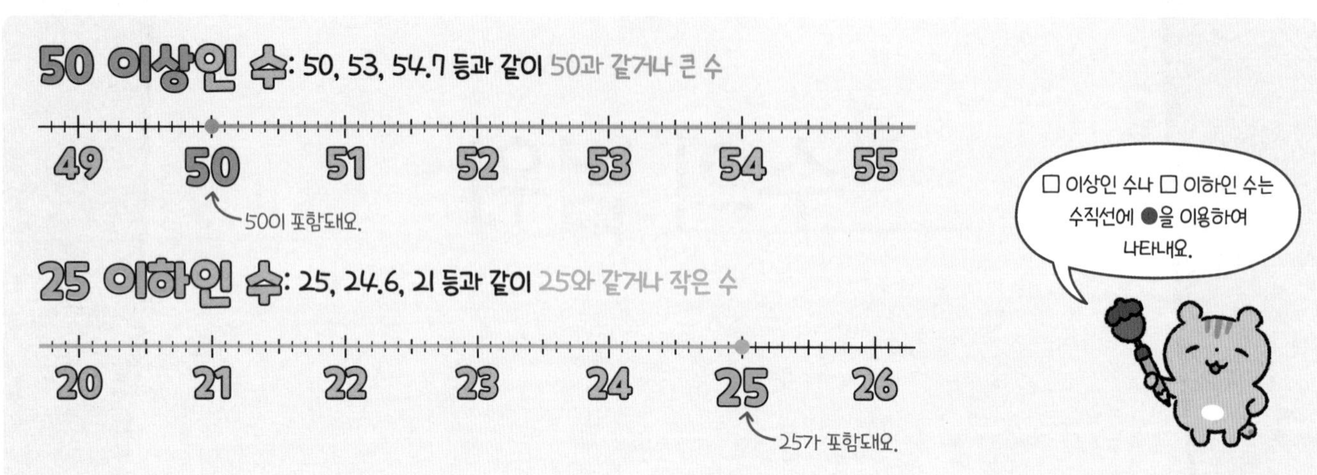

수의 범위를 수직선에 나타내어 보세요.

1 13 이상인 수

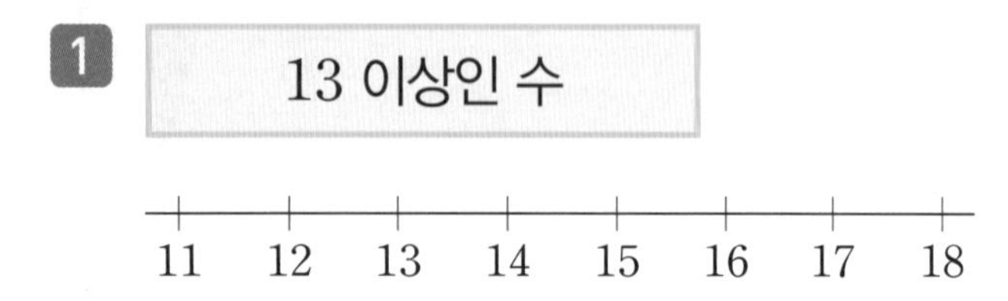

2 47 이상인 수

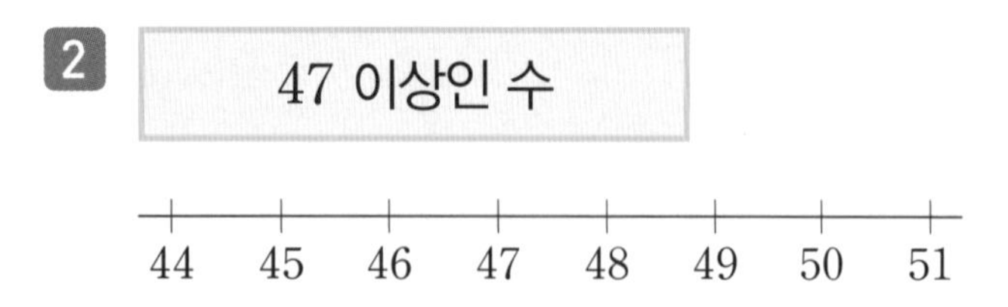

3 6 이하인 수

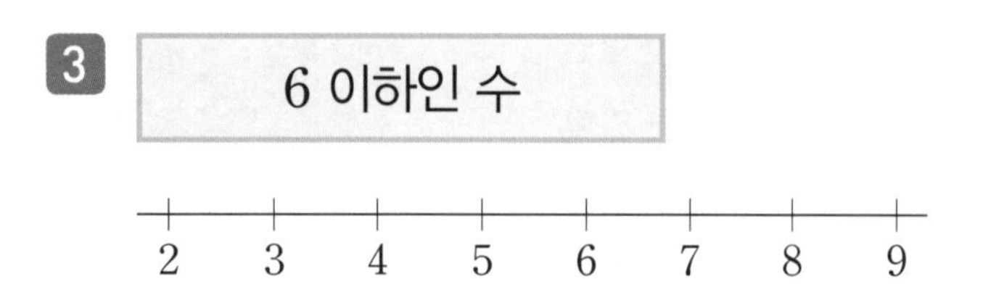

4 61 이하인 수

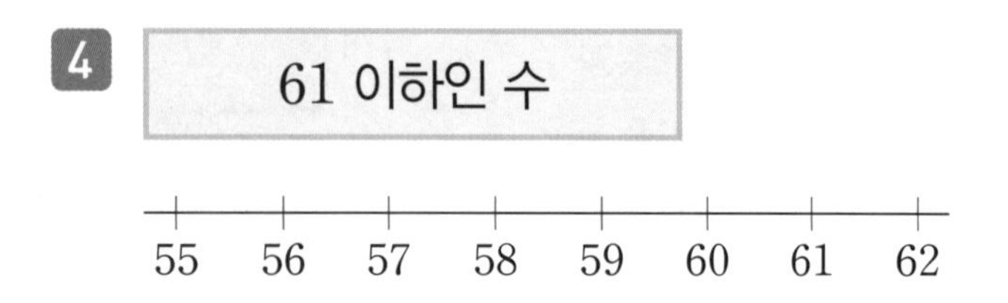

수직선에 나타낸 수의 범위를 구해 보세요.

5

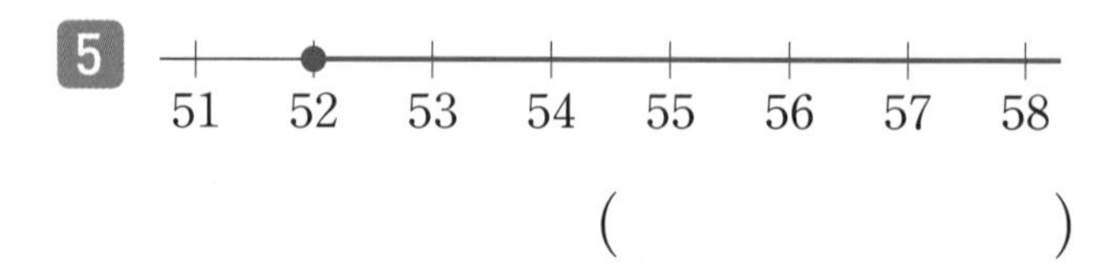

(　　　　　　)

6

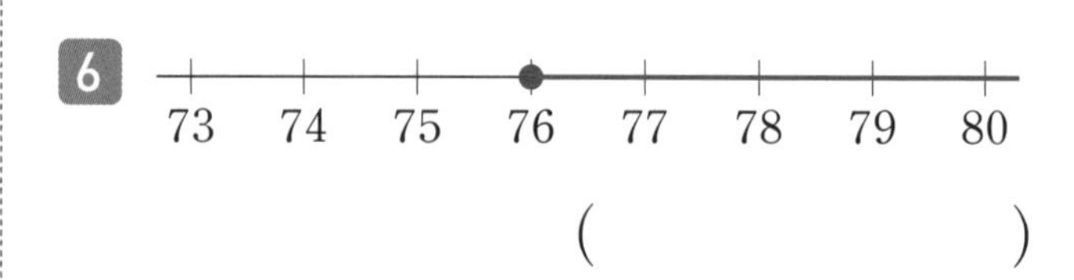

(　　　　　　)

7

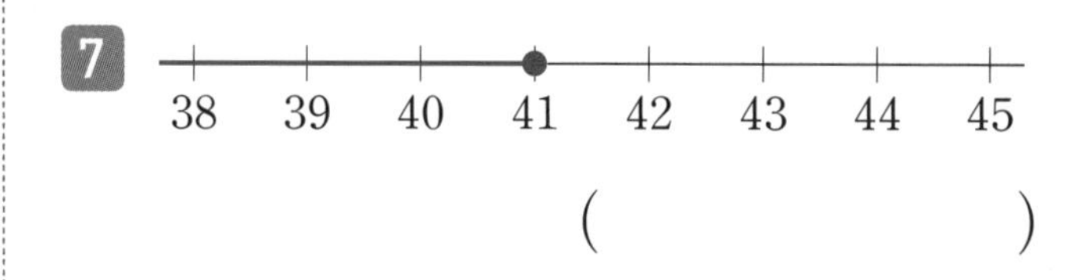

(　　　　　　)

8

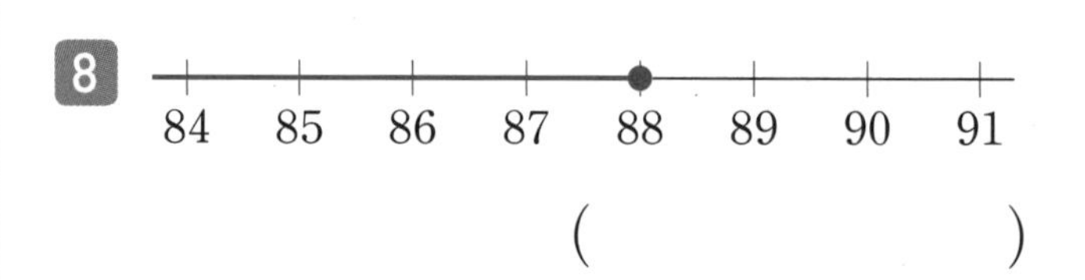

(　　　　　　)

수의 범위에 포함되는 수를 모두 찾아 ◯표 하세요.

9 7 이상인 수

7	6	9	14	4

10 19 이상인 수

16	20	11	22	18

11 23 이상인 수

24	40	21	39	23

12 30 이상인 수

14	29	27	39	41

13 44 이상인 수

46	40	42	50	37

14 59 이상인 수

48	67	61	59	80

15 26 이하인 수

41	35	14	26	28

16 39 이하인 수

59	38	20	30	15

17 42 이하인 수

42	43	17	57	33

18 51 이하인 수

42	70	50	43	56

19 67 이하인 수

45	70	68	77	53

20 89 이하인 수

74	92	100	89	97

맞힌 개수

개 /20개

나의 학습 결과에 ○표 하세요.

맞힌 개수	0~2개	3~10개	11~18개	19~20개
학습 방법	다시 한번 풀어 봐요.	계산 연습이 필요해요.	틀린 문제를 확인해요.	실수하지 않도록 집중해요.

QR 빠른 정답 확인

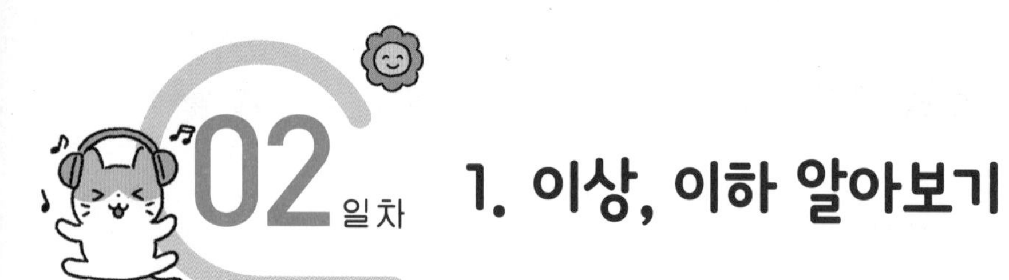

1. 이상, 이하 알아보기

수의 범위에 포함되는 수를 모두 찾아 ◯표 하세요.

★ 이상인 수, ▲ 이하인 수에는 ★, ▲가 포함돼요.

1 5 이상인 수

4.2	5	6	10.6
3	15	2.9	1

2 21 이상인 수

14	18.7	21	16
20	23.8	12	7

3 46 이상인 수

40	43	46	41
52.5	38	25	11

4 68 이상인 수

6	63.2	68.2	82.8
18	59	89.7	67

5 75 이상인 수

69	93.2	74	37
92.6	75	70.6	20

6 34 이하인 수

34	32.5	45	30
58	33.8	24.9	76

7 57 이하인 수

96	57.5	60	47
53	58	55.7	62

8 63 이하인 수

63.6	55.9	45	63
80	75	61	26

9 86 이하인 수

80	69.4	81.9	89.6
57.2	75	94.1	9

10 90 이하인 수

85	89	90.7	87.3
96	91.5	100	92

연산 in 문장제

희주네 모둠 학생들이 1분 동안 넘은 줄넘기 횟수를 조사하여 나타낸 표입니다. 줄넘기 횟수가 45회 이상인 학생의 이름을 모두 써 보세요.

희주네 모둠 학생들이 1분 동안 넘은 줄넘기 횟수

이름	희주	민주	준호	영준	슬기
횟수(회)	45	39	50	48	42

45 이상인 수는 45, 50, 48입니다.
따라서 줄넘기 횟수가 45회 이상인 학생은 희주, 준호, 영준입니다.

11 정우네 모둠 학생들의 50 m 달리기 기록입니다. 기록이 8.5초 이하인 학생의 이름을 모두 써 보세요.

이름	정우	주영	민지	경훈	민석
기록(초)	6.5	8.4	10.0	7.8	9.9

답 ____________

12 어느 영화관에서 15세 이상만 볼 수 있는 영화를 상영하고 있습니다. 영화관에 있는 사람들의 나이가 다음과 같을 때 이 영화를 볼 수 있는 사람은 모두 몇 명인지 구해 보세요.

16세 21세 52세 15세 10세 9세 34세 47세

답 ____________

13 어느 날 각 지역의 시간당 최대 강수량을 조사하여 나타낸 표입니다. 시간당 최대 강수량이 70 mm 이하인 지역을 모두 찾아 기호를 써 보세요.

각 지역의 시간당 최대 강수량

지역	가	나	다	라
강수량(mm)	62.8	70.5	72.7	70

답 ____________

맞힌 개수

개 /13개

나의 학습 결과에 ○표 하세요.

맞힌 개수	0~2개	3~7개	8~11개	12~13개
학습 방법	다시 한번 풀어 봐요.	계산 연습이 필요해요.	틀린 문제를 확인해요.	실수하지 않도록 집중해요.

QR 빠른 정답 확인

03 일차 2. 초과, 미만 알아보기

10 초과인 수: 10.1, 13.2, 14 등과 같이 10보다 큰 수

38 미만인 수: 37.5, 35, 34.1 등과 같이 38보다 작은 수

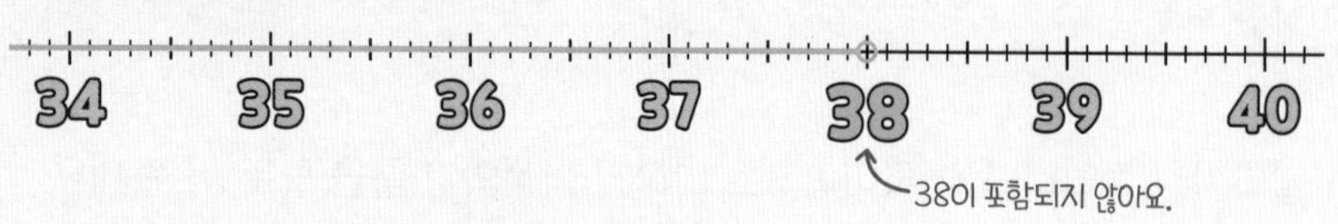

수의 범위를 수직선에 나타내어 보세요.

1 28 초과인 수

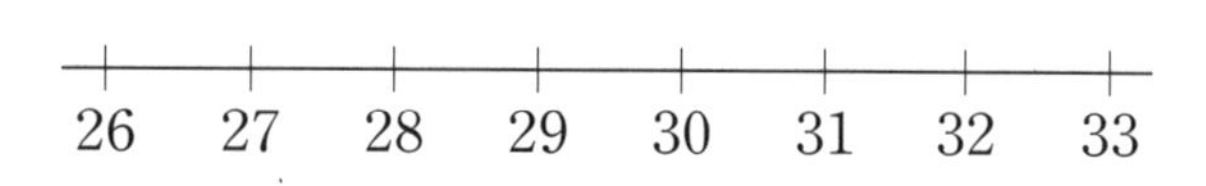

2 54 초과인 수

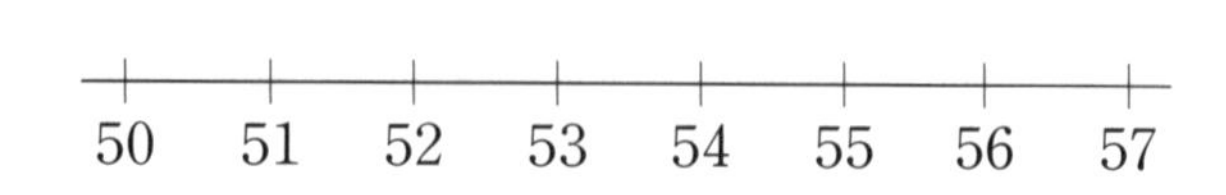

3 43 미만인 수

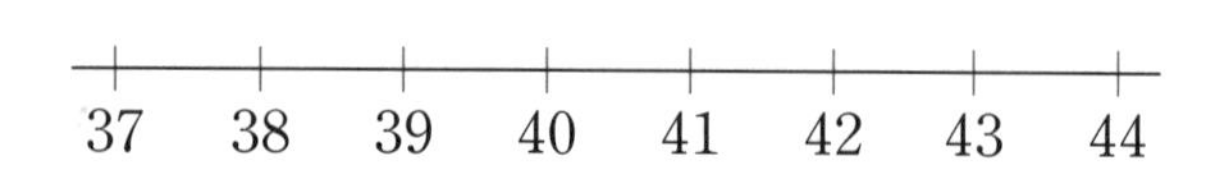

4 87 미만인 수

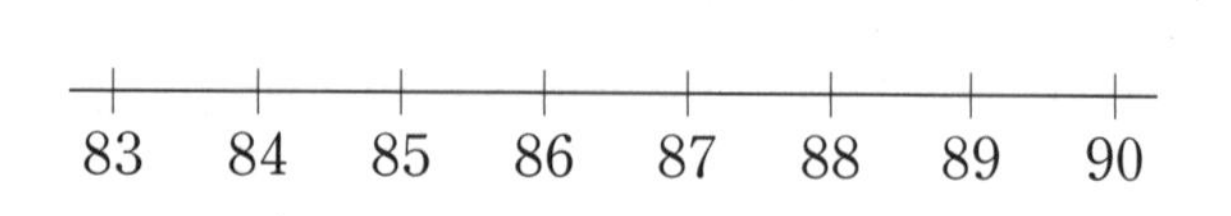

수직선에 나타낸 수의 범위를 구해 보세요.

5

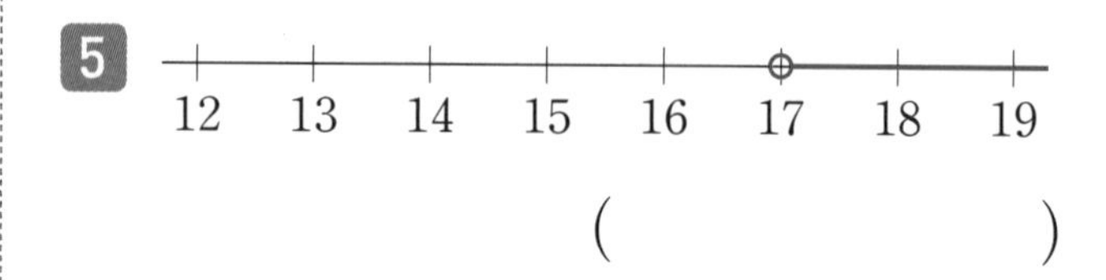

(　　　　　　　)

6

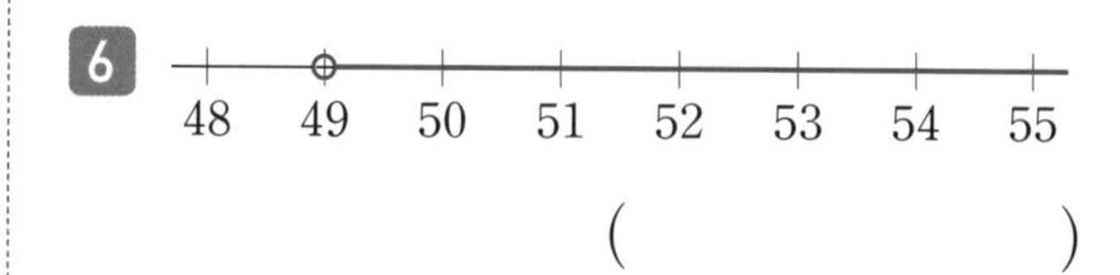

(　　　　　　　)

7

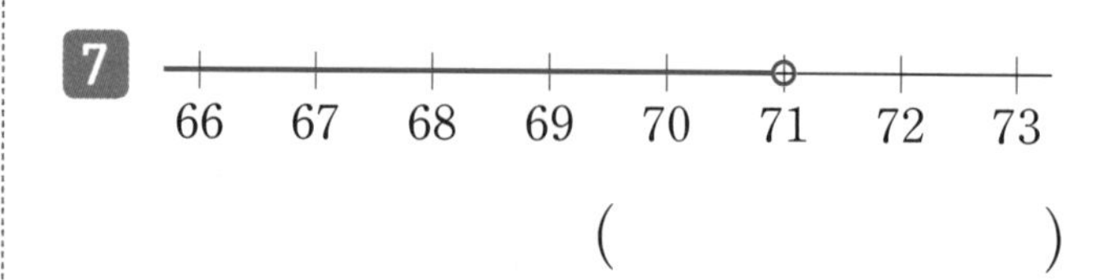

(　　　　　　　)

8

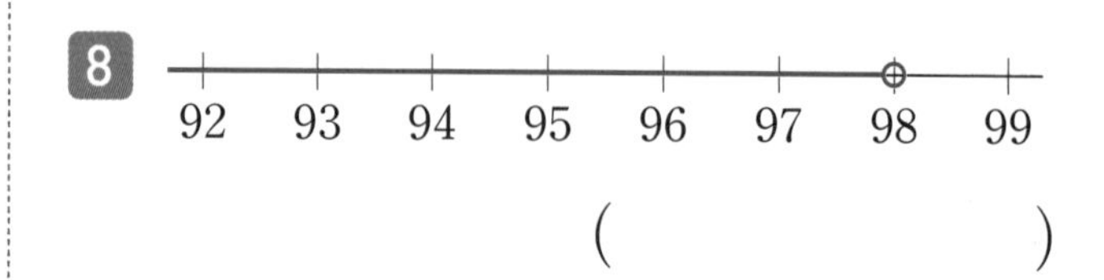

(　　　　　　　)

수의 범위에 포함되는 수를 모두 찾아 ◯표 하세요.

9 9 초과인 수

14	5	17	9	11

10 21 초과인 수

22	25	21	7	18

11 37 초과인 수

32	30	55	41	48

12 58 초과인 수

58	63	47	62	34

13 69 초과인 수

64	73	68	82	77

14 80 초과인 수

86	79	75	84	90

15 16 미만인 수

16	10	31	20	13

16 33 미만인 수

34	35	26	50	27

17 48 미만인 수

47	48	43	52	39

18 78 미만인 수

60	92	71	68	19

19 85 미만인 수

62	93	84	89	75

20 93 미만인 수

92	105	94	74	88

맞힌 개수

개 /20개

나의 학습 결과에 ○표 하세요.

맞힌 개수	0~2개	3~10개	11~18개	19~20개
학습 방법	다시 한번 풀어 봐요.	계산 연습이 필요해요.	틀린 문제를 확인해요.	실수하지 않도록 집중해요.

QR 빠른 정답 확인

04일차 2. 초과, 미만 알아보기

수의 범위에 포함되는 수를 모두 찾아 ◯표 하세요.

1 2 초과인 수

2	3	6.5	1
7	1.2	8.4	3.6

2 11 초과인 수

9	5	10.3	11
4	15	17.8	18

3 25 초과인 수

16	42	25.1	27.5
24	29.1	25	30

4 62 초과인 수

84	92	67.2	65
59.1	64	62	50

5 82 초과인 수

76.2	94.1	83	89.6
50	81	79	81.5

6 12 미만인 수

3	2.5	12	8
13	17	6.9	10

7 32 미만인 수

32.8	34.3	36	27.1
41	24	30	31.9

8 53 미만인 수

61.9	51	50	47
17	57.5	52.7	53

9 77 미만인 수

70.1	88	51.9	77
68	90	67	75.8

10 81 미만인 수

63	82.2	77	80.4
6	81	94.5	102.7

연산 in 문장제

지우네 모둠 학생들의 악력을 조사하여 나타낸 표입니다. 악력이 17.5 kg 미만인 학생의 이름을 모두 써 보세요.

지우네 모둠 학생들의 악력

이름	지우	은정	연정	수현	선미
악력(kg)	17.0	17.2	18.4	16.5	18.9

17.5 미만인 수는 17.0, 17.2, 16.5입니다.
따라서 악력이 17.5 kg 미만인 학생은 지우, 은정, 수현입니다.

11 다솔이가 지난 5일 동안의 기온을 조사하여 나타낸 표입니다. 다솔이네 집은 최고 기온이 27.0 °C 초과이면 에어컨을 작동시킨다고 할 때 에어컨을 작동시킨 날을 모두 써 보세요.

지난 5일 동안의 기온

날짜	25일	26일	27일	28일	29일
기온(°C)	26.4	27.0	28.2	29.5	27.8

답 ______________

12 어느 박물관에서 8세 미만인 어린이는 입장료를 받지 않는다고 합니다. 박물관에 무료로 입장할 수 있는 나이를 모두 찾아 써 보세요.

7세 8세 25세 37세 5세 50세 4세 16세

답 ______________

13 어느 항공사는 수하물의 무게가 20 kg 초과이면 요금을 더 내야 합니다. 요금을 더 내야 하는 수하물을 모두 찾아 기호를 써 보세요.

수하물	가	나	다	라	마	바
무게(kg)	32.1	20	20.8	31	16.7	34

답 ______________

맞힌 개수

개 /13개

나의 학습 결과에 ○표 하세요.

맞힌 개수	0~2개	3~7개	8~11개	12~13개
학습 방법	다시 한번 풀어 봐요.	계산 연습이 필요해요.	틀린 문제를 확인해요.	실수하지 않도록 집중해요.

QR 빠른 정답 확인

3. 이상과 이하

5 이상 8 이하인 수: 5, 6.2, 7, 8 등과 같이 5와 같거나 크고 8과 같거나 작은 수

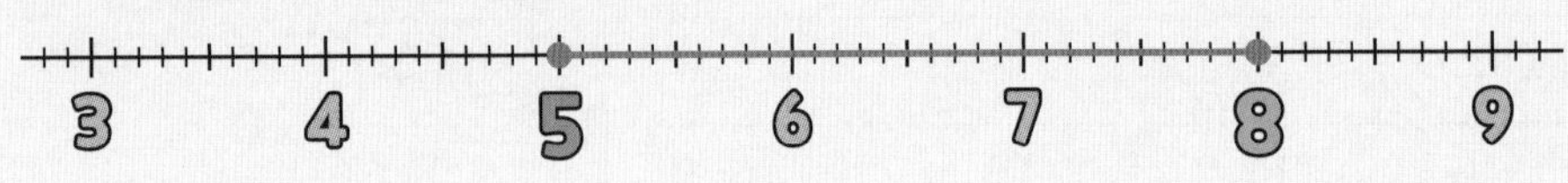

● 수의 범위를 수직선에 나타내어 보세요.

1 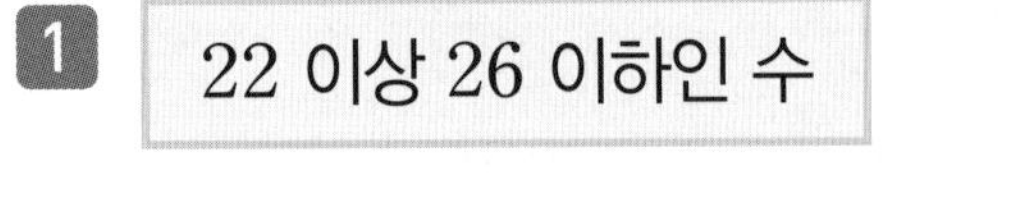

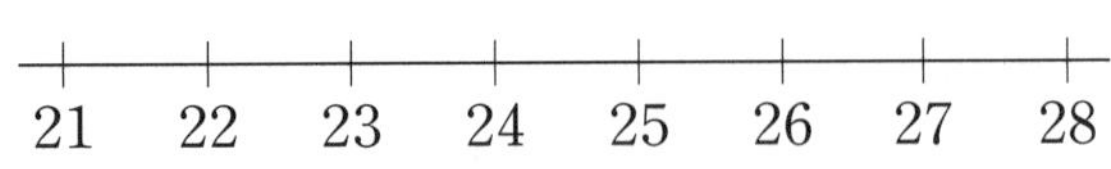

2 48 이상 53 이하인 수

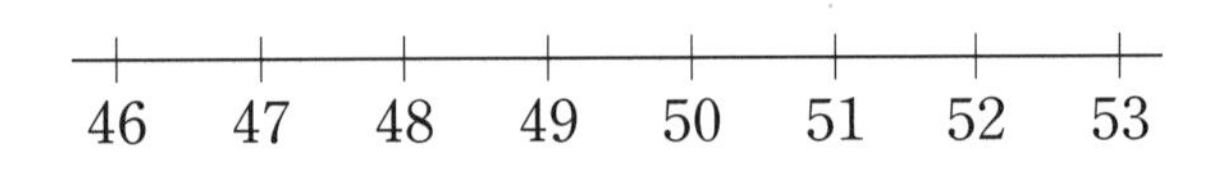

3 64 이상 67 이하인 수

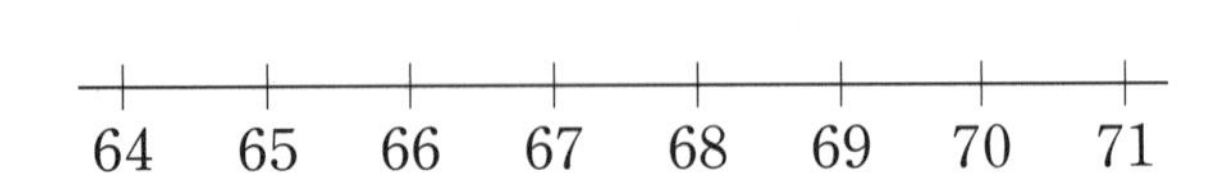

4 78 이상 81 이하인 수

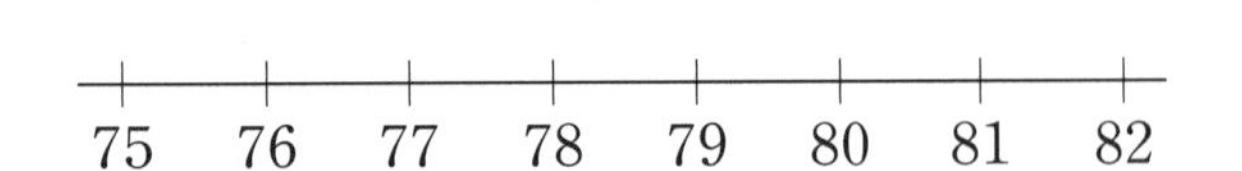

5 89 이상 95 이하인 수

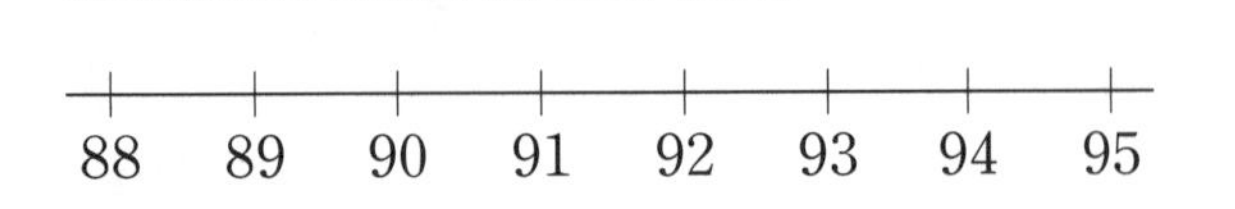

● 수직선에 나타낸 수의 범위를 구해 보세요.

6

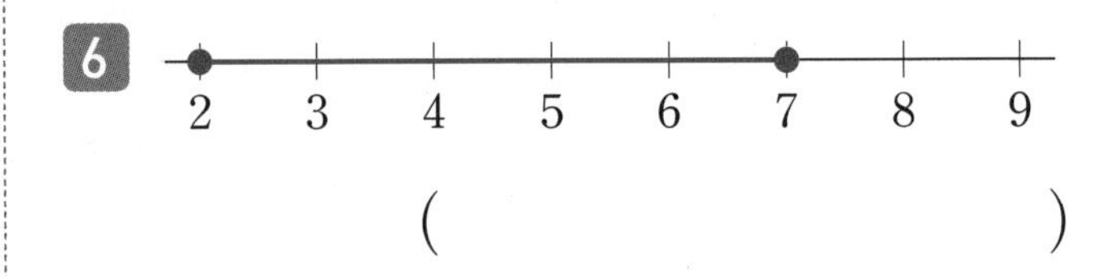

(　　　　　　　　)

7

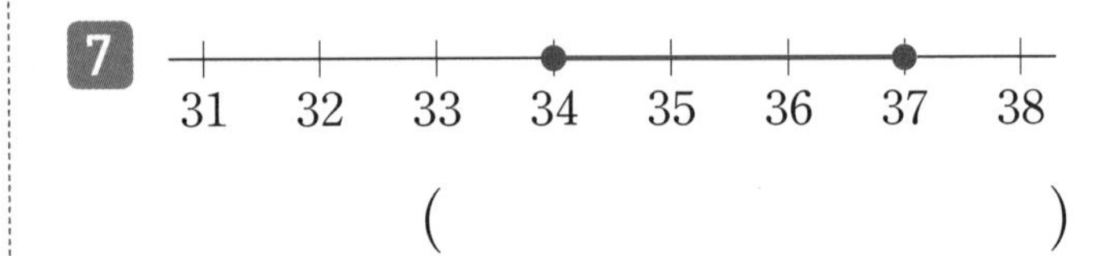

(　　　　　　　　)

8

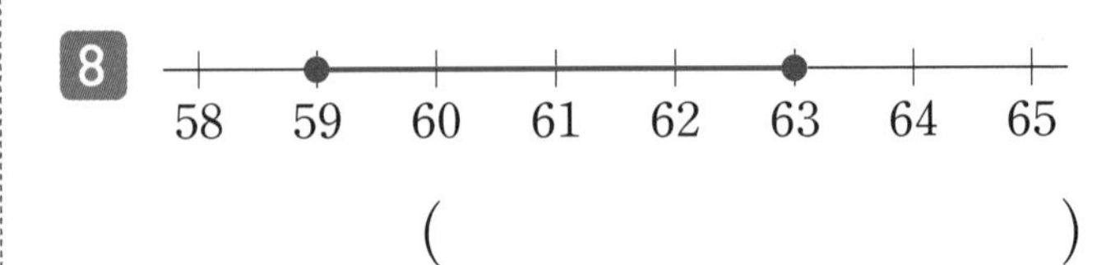

(　　　　　　　　)

9

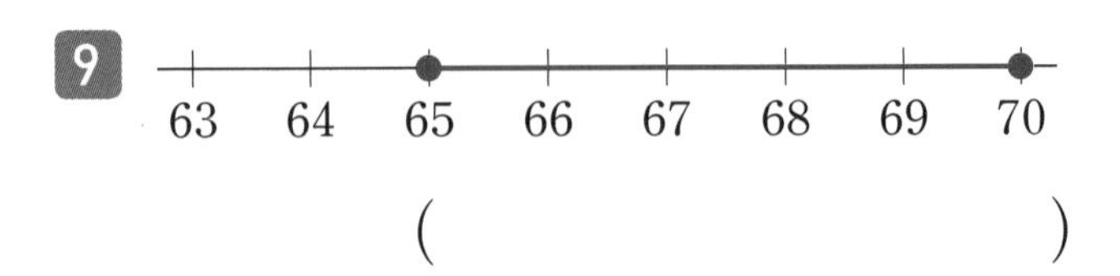

(　　　　　　　　)

10

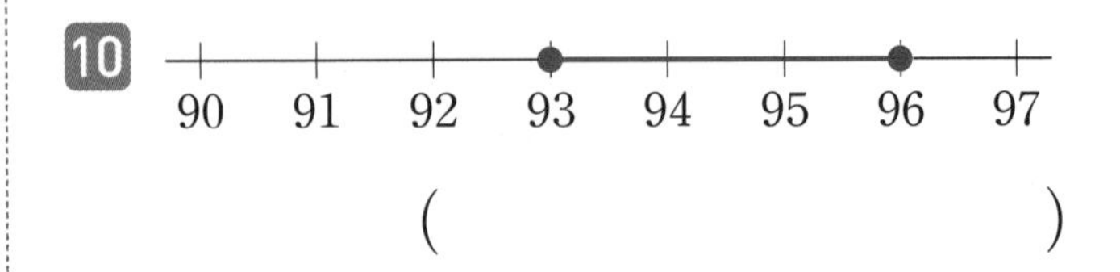

(　　　　　　　　)

수의 범위에 포함되는 수를 모두 찾아 ○표 하세요.

11 16 이상 24 이하인 수

21	35	24	16	37	8

12 20 이상 30 이하인 수

15	40	21	27	20	30

13 37 이상 44 이하인 수

25	43	54	45	7	39

14 41 이상 48 이하인 수

45	47	52	41	48	50

15 50 이상 59 이하인 수

52	59	60	51	65	50

16 54 이상 64 이하인 수

55	41	72	66	53	60

17 66 이상 73 이하인 수

68	72	75	55	74	79

18 72 이상 80 이하인 수

59	78	67	72	79	81

19 77 이상 85 이하인 수

75	79	82	85	90	89

20 83 이상 92 이하인 수

109	81	84	89	92	83

21 85 이상 93 이하인 수

75	92	72	86	102	58

22 92 이상 101 이하인 수

93	100	41	103	90	98

맞힌 개수

개 /22개

나의 학습 결과에 ○표 하세요.

맞힌 개수	0~2개	3~11개	12~20개	21~22개
학습 방법	다시 한번 풀어 봐요.	계산 연습이 필요해요.	틀린 문제를 확인해요.	실수하지 않도록 집중해요.

06 일차 3. 이상과 이하

수의 범위에 포함되는 수를 모두 찾아 ◯표 하세요.

★ 이상 ▲ 이하인 수에는
★과 ▲가 모두 포함돼요.

1 25 이상 32 이하인 수

23.9	25	24	39
32	37.3	35.6	29.1

2 27 이상 36 이하인 수

25	26	36	24.3
33	43.1	28	40

3 37 이상 43 이하인 수

37.1	45	34	42
41.6	37	29.7	22

4 45 이상 53 이하인 수

52	54	49.7	45
61	59.6	62.4	19

5 58 이상 65 이하인 수

59	49.8	64	80
81	62.3	65	60.3

6 62 이상 71 이하인 수

61.7	70	62.6	60
77.2	65	49	53

7 75 이상 83 이하인 수

49	75	81	85.6
82.4	79	86	90

8 86 이상 97 이하인 수

60	87	91	91.6
98.4	83	74	103

9 89 이상 103 이하인 수

101.3	99.2	106	90.5
88	101	102.5	76

10 99 이상 108 이하인 수

100	90	103.5	89
109	108.4	97	88

연산 in 문장제

승희네 반 학생들의 키를 조사하여 나타낸 표입니다. 키가 150 cm 이상 160 cm 이하인 학생의 이름을 모두 써 보세요.

학생들의 키

이름	승희	형석	희선	성우	준태	선주
키(cm)	145.2	161.8	167.6	153.7	150	164.1

150 이상 160 이하인 수는 153.7, 150입니다.
따라서 키가 150 cm 이상 160 cm 이하인 학생은 성우, 준태입니다.

11 어느 해 프로 축구 대회에서 1년 동안 경기한 각 팀의 승점의 합을 조사하여 나타낸 표입니다. 승점의 합이 54점 이상 74점 이하인 팀을 모두 써 보세요.

팀별 승점의 합

팀	가	나	다	라	마	바
승점(점)	76	74	55	54	46	47

답 ____________

12 지윤이네 학교의 학년별 학생 수를 조사하여 나타낸 표입니다. 학생 수가 125명 이상 150명 이하인 학년의 학생 수를 모두 써 보세요.

지윤이네 학교의 학년별 학생 수

학년	1학년	2학년	3학년	4학년	5학년	6학년
학생 수(명)	124	119	127	151	146	168

답 ____________

맞힌 개수

개 /12개

나의 학습 결과에 ○표 하세요.

맞힌 개수	0~2개	3~6개	7~10개	11~12개
학습 방법	다시 한번 풀어 봐요.	계산 연습이 필요해요.	틀린 문제를 확인해요.	실수하지 않도록 집중해요.

QR 빠른정답 확인

4. 초과와 미만

14 초과 17 미만인 수: 14.1, 15, 16.7 등과 같이 14보다 크고 17보다 작은 수

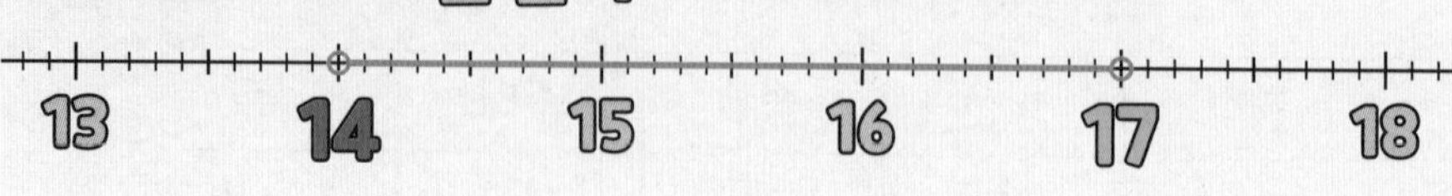

● 수의 범위를 수직선에 나타내어 보세요.

1 23 초과 29 미만인 수

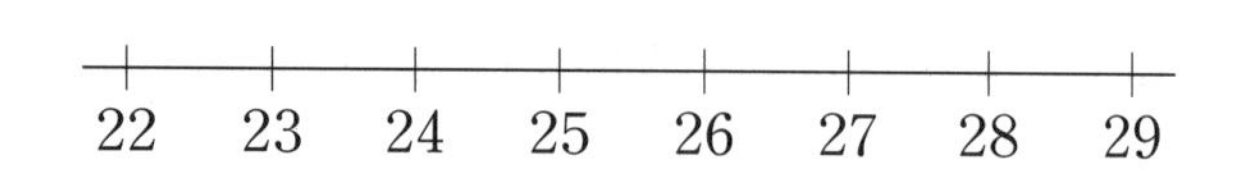

2 45 초과 49 미만인 수

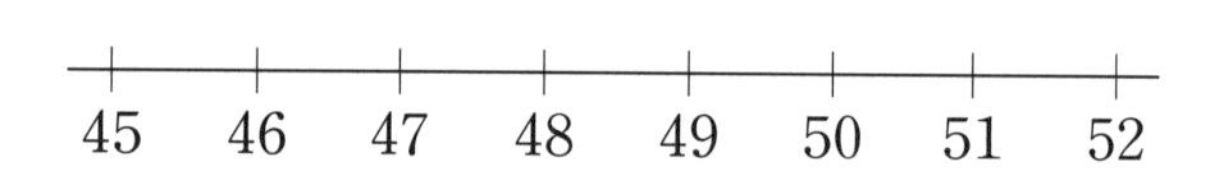

3 60 초과 64 미만인 수

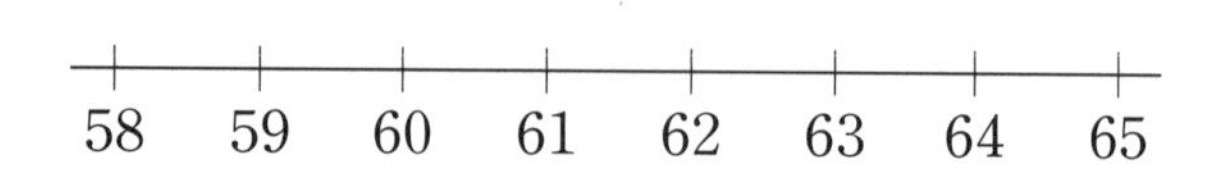

4 74 초과 77 미만인 수

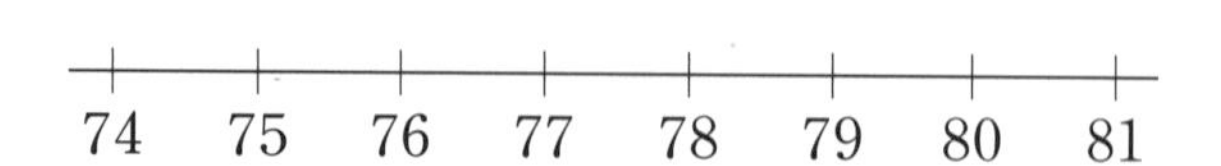

5 97 초과 100 미만인 수

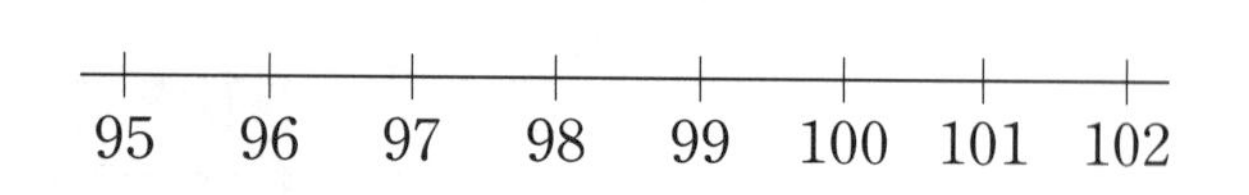

● 수직선에 나타낸 수의 범위를 구해 보세요.

6

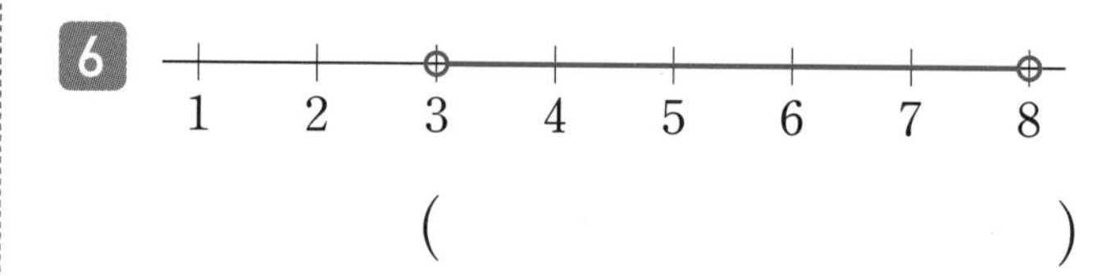

( )

7

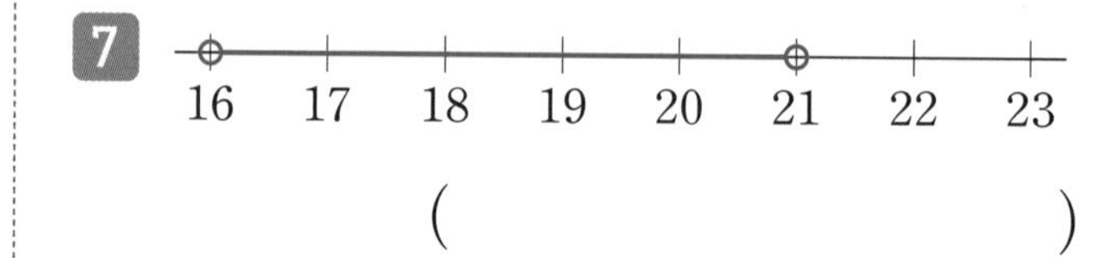

( )

8

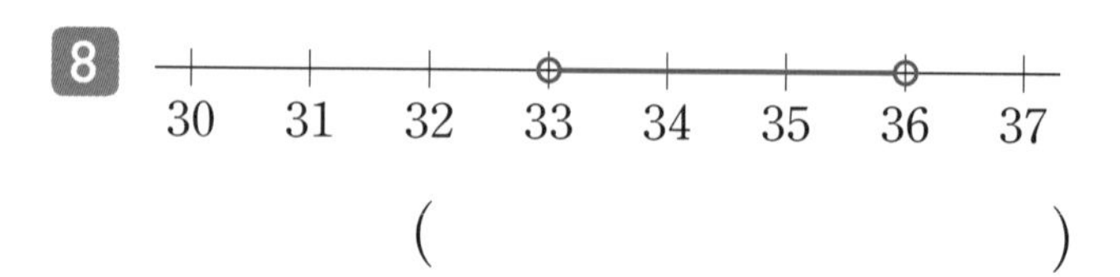

( )

9

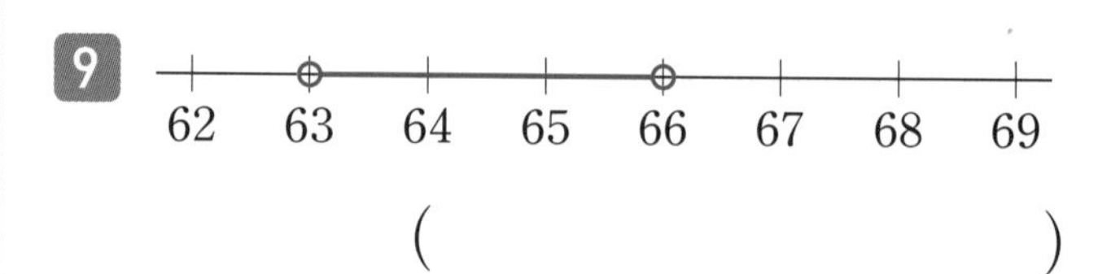

( )

10

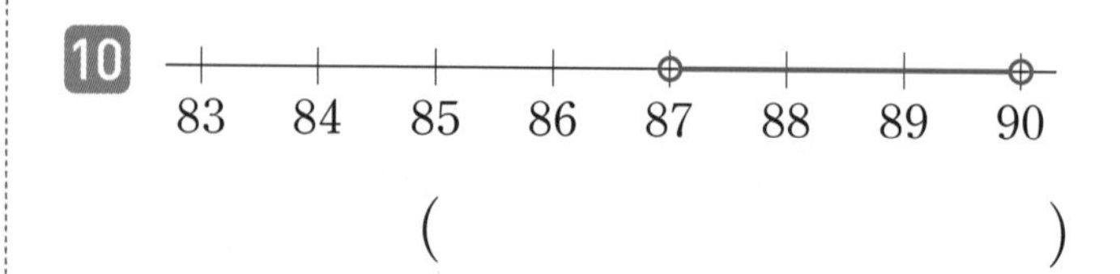

( )

수의 범위에 포함되는 수를 모두 찾아 ◯표 하세요.

11 18 초과 28 미만인 수

16	19	25	18	27	22

12 24 초과 32 미만인 수

23	26	30	27	31	34

13 31 초과 38 미만인 수

38	36	31	32	34	41

14 40 초과 53 미만인 수

67	48	40	51	62	53

15 47 초과 55 미만인 수

47	34	55	52	54	46

16 50 초과 58 미만인 수

58	46	48	51	55	53

17 54 초과 60 미만인 수

59	51	56	58	52	61

18 61 초과 68 미만인 수

54	63	61	59	67	68

19 66 초과 73 미만인 수

69	59	67	66	72	70

20 87 초과 95 미만인 수

92	85	89	94	82	98

21 89 초과 94 미만인 수

93	101	87	92	96	90

22 99 초과 106 미만인 수

110	97	94	103	100	106

맞힌 개수

개 /22개

나의 학습 결과에 ◯표 하세요.

맞힌 개수	0~2개	3~11개	12~20개	21~22개
학습 방법	다시 한번 풀어 봐요.	계산 연습이 필요해요.	틀린 문제를 확인해요.	실수하지 않도록 집중해요.

QR 빠른 정답 확인

08 일차 4. 초과와 미만

수의 범위에 포함되는 수를 모두 찾아 ◯표 하세요.

1 5 초과 16 미만인 수

8.3	11	5	4.1
17	3	19	15.2

2 12 초과 20 미만인 수

11.7	13	12	17
21	20	14.5	15.8

3 25 초과 32 미만인 수

36.3	18	29.8	28
26.5	32.4	24.6	25

4 36 초과 46 미만인 수

35	29	48	39
45.6	53.1	33	21

5 49 초과 64 미만인 수

49.2	49	54.1	65
50	59.7	52	48.7

6 51 초과 65 미만인 수

36.5	51	64.7	49
69.1	84	56.9	41.8

7 63 초과 71 미만인 수

50.8	71	69.2	71.9
67	63.3	68.4	62

8 75 초과 83 미만인 수

68	77	81	83.8
74	79.6	75	80

9 86 초과 94 미만인 수

92	82.8	86.1	90
94	89.2	86	87.6

10 98 초과 107 미만인 수

105	98	95.4	98.1
77	100	110.6	107.7

연산 in 문장제

어느 학교 야구부에서 각 선수가 1년 동안 친 안타 수를 조사하여 나타낸 표입니다. 안타 수가 50개 초과 75개 미만인 선수의 기록을 모두 써 보세요.

선수별 안타 수

이름	정민	선호	민준	경민	원준	은성
안타 수(개)	75	82	61	70	53	49

50 초과 75 미만인 수는 61, 70, 53입니다.
따라서 안타 수가 50개 초과 75개 미만인 선수의 기록은 61개, 70개, 53개입니다.

11 보라네 모둠 학생들의 윗몸 말아 올리기 기록을 조사하여 나타낸 표입니다. 윗몸 말아 올리기 횟수가 20회 초과 40회 미만인 학생의 이름을 모두 써 보세요.

학생별 윗몸 말아 올리기 기록

이름	보라	성민	민진	승환	재범	수희
횟수(회)	22	17	12	37	30	19

답 ______________

12 승혁이네 모둠 학생들이 1년 동안 읽은 책의 수를 조사하여 나타낸 표입니다. 읽은 책의 수에 따라 선물을 주는 데 읽은 책의 수가 25권 초과 34권 미만인 학생에게는 필통을 준다고 합니다. 필통을 받을 수 있는 학생은 모두 몇 명인지 구해 보세요.

학생별 읽은 책의 수

이름	승혁	유정	가희	동수	민아	지은
책의 수(권)	14	33	35	19	28	25

답 ______________

맞힌 개수

개 /12개

나의 학습 결과에 ○표 하세요.

맞힌 개수	0～2개	3～6개	7～10개	11～12개
학습 방법	다시 한번 풀어 봐요.	계산 연습이 필요해요.	틀린 문제를 확인해요.	실수하지 않도록 집중해요.

QR 빠른정답 확인

09 일차 5. 이상과 미만

43 이상 46 미만인 수: 43, 44.5, 45.7 등과 같이 43과 같거나 크고 46보다 작은 수

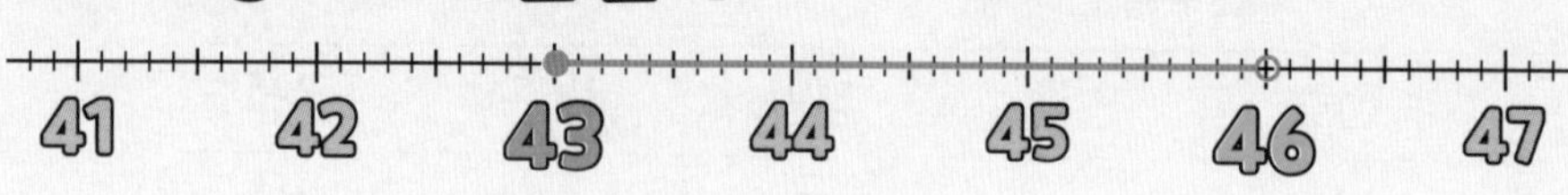

수의 범위를 수직선에 나타내어 보세요.

1 16 이상 20 미만인 수

14 15 16 17 18 19 20 21

2 36 이상 39 미만인 수

35 36 37 38 39 40 41 42

3 52 이상 57 미만인 수

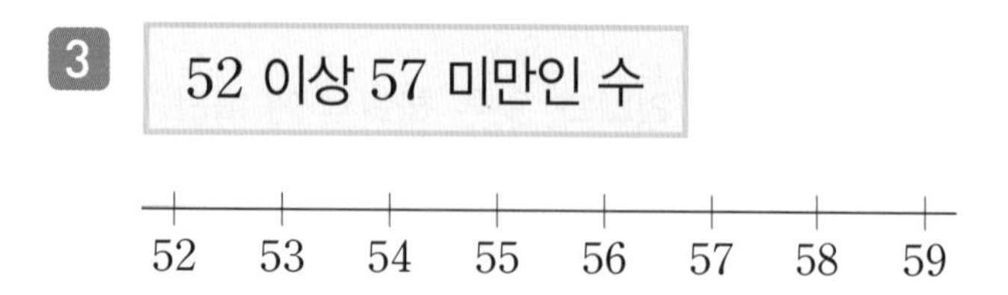

4 65 이상 68 미만인 수

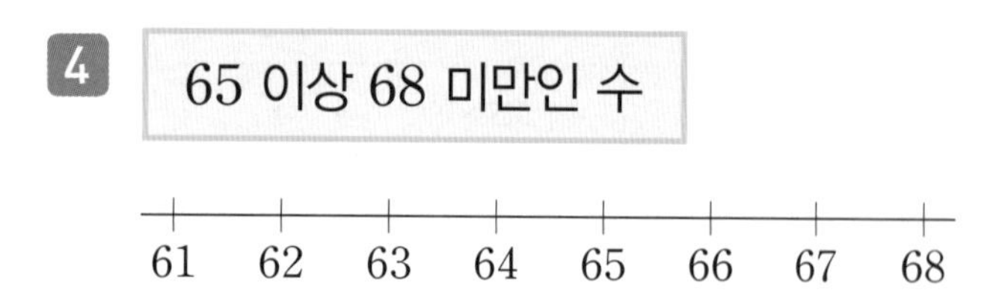

5 88 이상 92 미만인 수

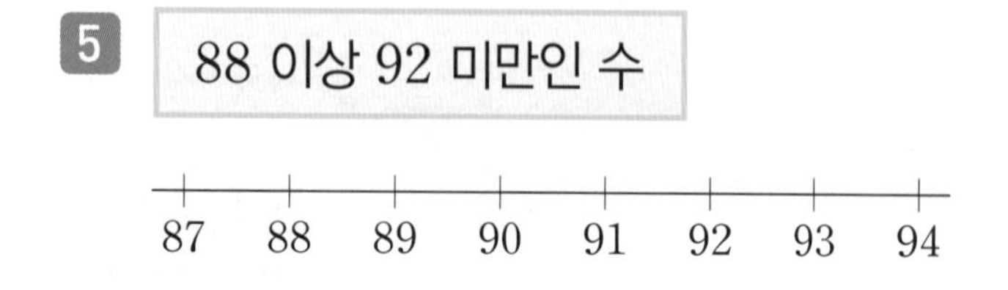

수직선에 나타낸 수의 범위를 구해 보세요.

6

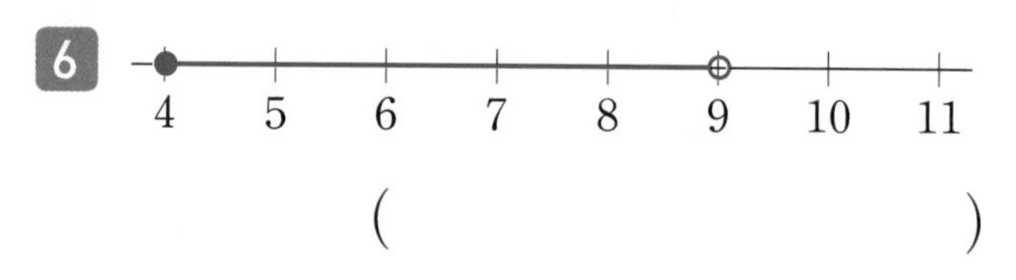

( )

7

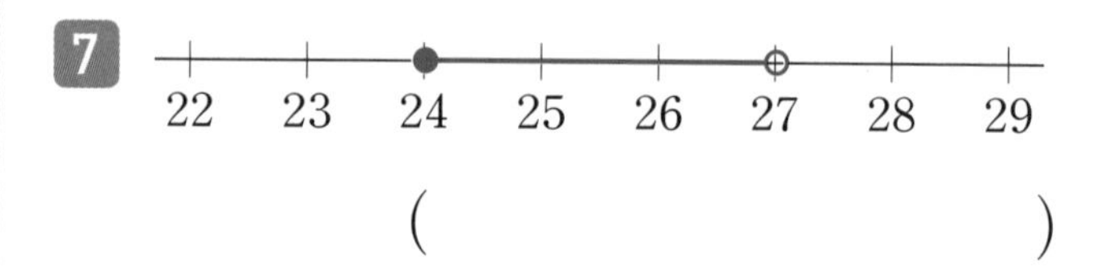

( )

8

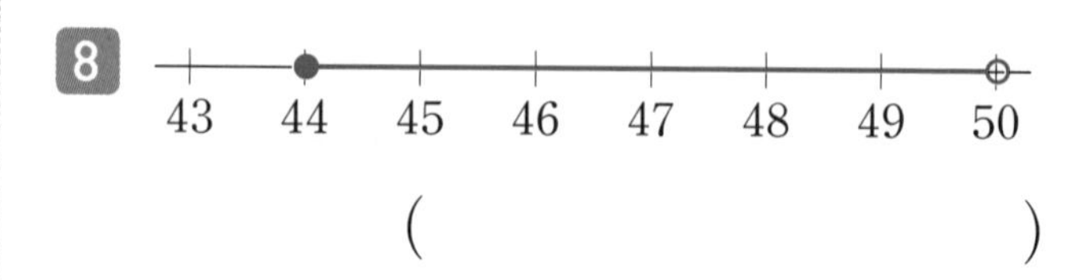

( )

9

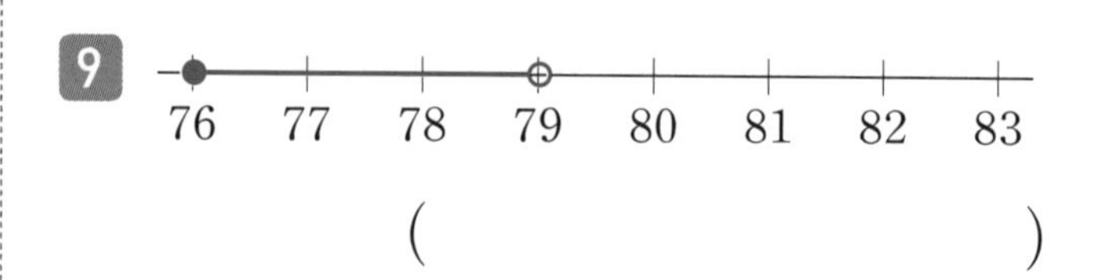

( )

10

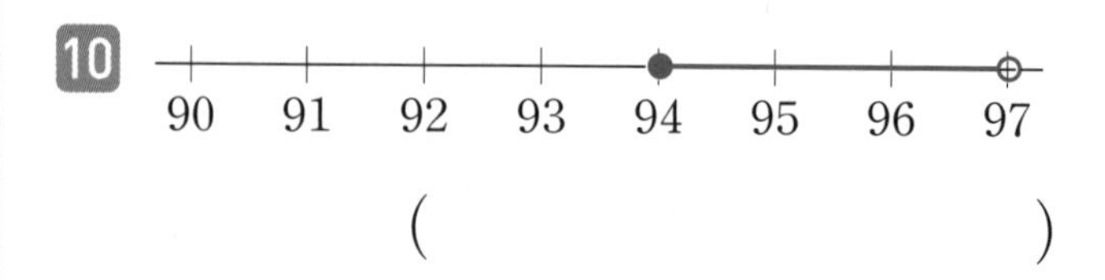

( )

수의 범위에 포함되는 수를 모두 찾아 ◯표 하세요.

11 11 이상 16 미만인 수

16	11	12	14	21	18

12 21 이상 28 미만인 수

32	21	23	14	18	28

13 25 이상 30 미만인 수

25	32	29	35	27	16

14 37 이상 42 미만인 수

35	41	45	39	37	38

15 41 이상 46 미만인 수

40	42	37	57	46	43

16 54 이상 59 미만인 수

55	41	69	58	57	53

17 67 이상 73 미만인 수

66	70	75	67	72	79

18 68 이상 75 미만인 수

78	66	68	71	85	75

19 70 이상 76 미만인 수

78	72	70	71	75	81

20 84 이상 91 미만인 수

96	89	85	91	87	93

21 97 이상 103 미만인 수

98	104	83	96	101	107

22 109 이상 114 미만인 수

114	110	133	112	94	109

맞힌 개수

개 /22개

나의 학습 결과에 ○표 하세요.

맞힌 개수	0~2개	3~11개	12~20개	21~22개
학습 방법	다시 한번 풀어 봐요.	계산 연습이 필요해요.	틀린 문제를 확인해요.	실수하지 않도록 집중해요.

QR 빠른 정답 확인

5. 이상과 미만

★ 이상 ♥ 미만인 수에는
★은 포함되고 ♥는 포함되지 않아요.

수의 범위에 포함되는 수를 모두 찾아 ◯표 하세요.

1 23 이상 27 미만인 수

9	23	16	27.8
26	24.5	28	14

2 29 이상 34 미만인 수

28	36	32	33.6
8	43.1	30	29.4

3 36 이상 41 미만인 수

33.7	41	36	39
29	38.1	40.8	23

4 45 이상 52 미만인 수

45	52.7	55	46
35.8	51	49.6	53

5 59 이상 66 미만인 수

46	61.3	55	60
88	57	58.6	64

6 64 이상 71 미만인 수

67	70.9	65	75.3
72	66.8	71.7	50

7 73 이상 78 미만인 수

66	73	70.8	77
65.8	79	72	75.6

8 82 이상 87 미만인 수

37	84.9	81	85.3
69	89.4	86	83

9 90 이상 96 미만인 수

97	89.9	91	87.4
94.3	92	102.6	90

10 101 이상 107 미만인 수

101	100.9	100	105
101.8	107	108.7	98

연산 in 문장제

준수는 왕복 오래달리기를 84회 했습니다. 횟수에 따른 등급이 다음과 같을 때 준수는 몇 등급인지 구해 보세요.

등급	1	2	3
횟수(회)	100 이상	73 이상 100 미만	50 이상 73 미만

84는 73 이상 100 미만에 포함됩니다.
따라서 왕복 오래달리기를 84회 한 준수는 2등급입니다.

11 영주네 가족이 주차장에 주차를 하고 17분 후에 돌아왔습니다. 영주네 가족이 내야 할 주차 요금은 얼마인지 구해 보세요.

시간	5분 미만	5분 이상 10분 미만	10분 이상 15분 미만	15분 이상 20분 미만
주차 요금(원)	500	1000	1500	2000

답 ______________

12 은혜네 모둠 학생들의 수학 점수와 상별 점수를 조사하여 나타낸 표입니다. 은상을 받을 학생의 이름을 모두 써 보세요.

은혜네 모둠 학생들의 수학 점수

이름	점수(점)	이름	점수(점)
은혜	87	준상	96
희영	90	민선	97
상민	92	영호	89

상별 점수

상	점수(점)
금상	95 이상
은상	90 이상 95 미만
동상	85 이상 90 미만

답 ______________

맞힌 개수
개 /12개

나의 학습 결과에 ○표 하세요.

맞힌 개수	0~2개	3~6개	7~10개	11~12개
학습 방법	다시 한번 풀어 봐요.	계산 연습이 필요해요.	틀린 문제를 확인해요.	실수하지 않도록 집중해요.

11 일차 6. 초과와 이하

32 초과 36 이하인 수: 32.4, 33, 36 등과 같이 32보다 크고 36과 같거나 작은 수

● 수의 범위를 수직선에 나타내어 보세요.

1 1 초과 6 이하인 수

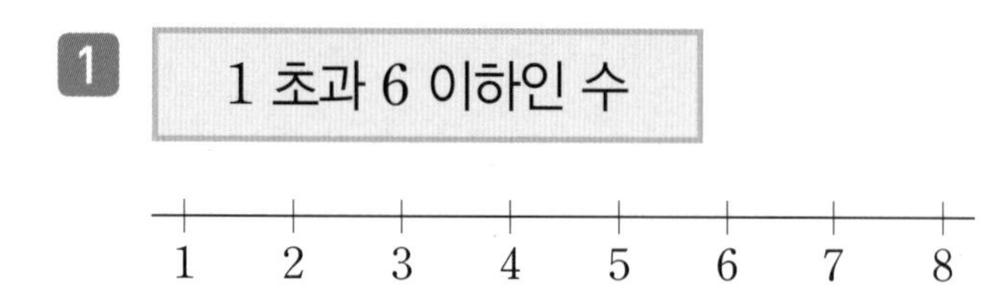

2 17 초과 21 이하인 수

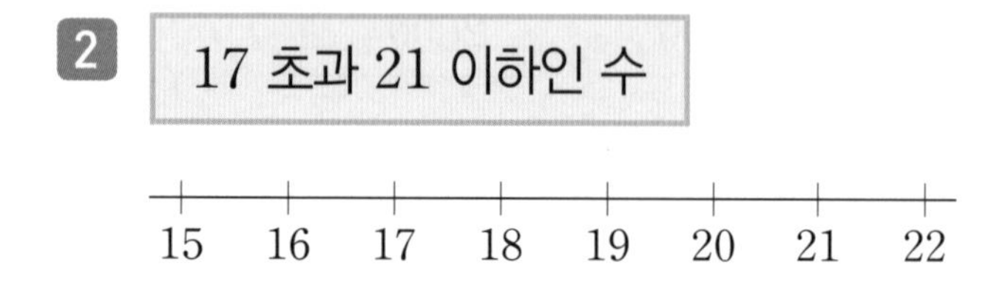

3 39 초과 41 이하인 수

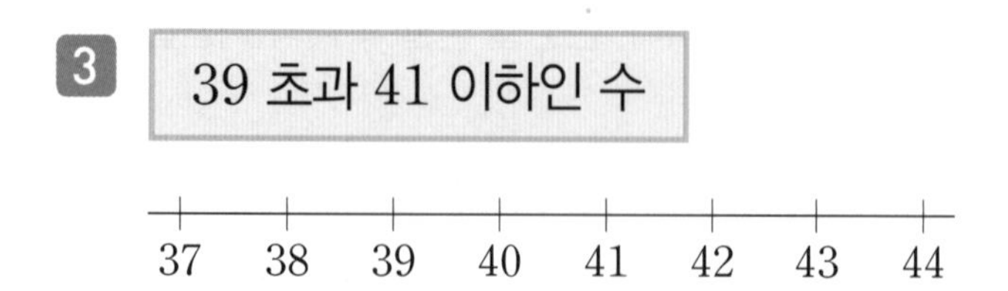

4 69 초과 75 이하인 수

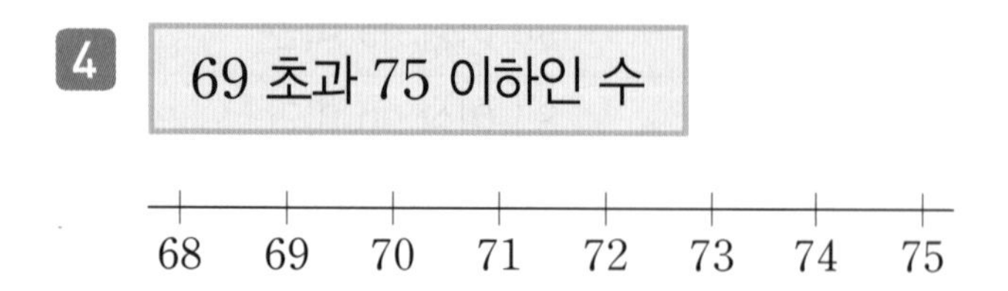

5 93 초과 99 이하인 수

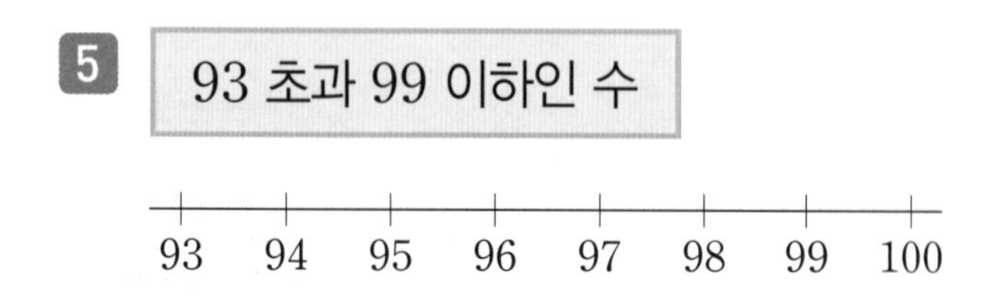

● 수직선에 나타낸 수의 범위를 구해 보세요.

6

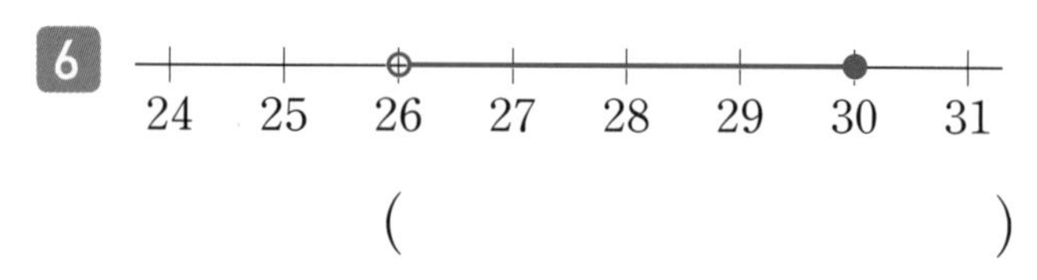

( )

7

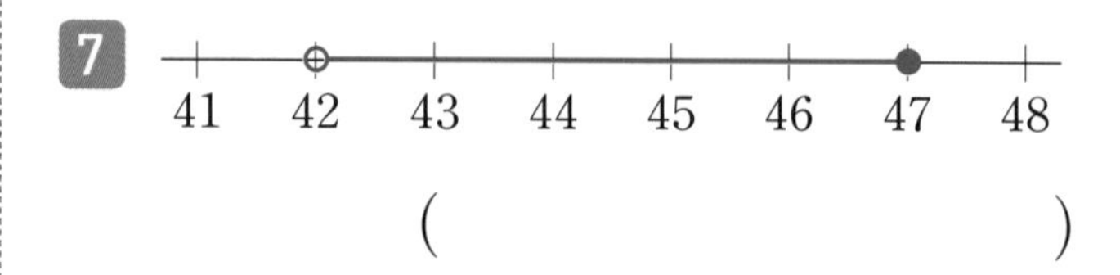

( )

8

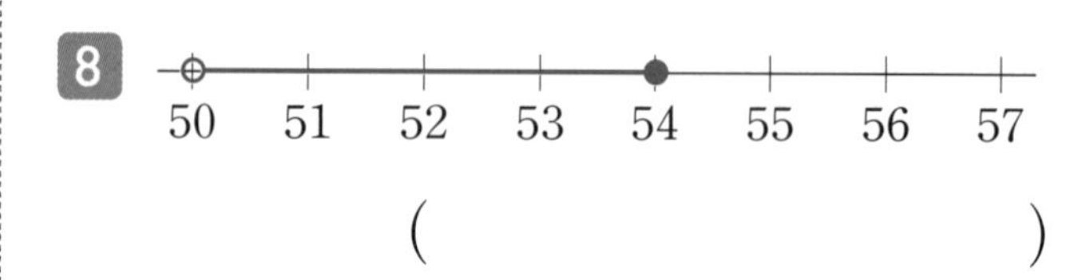

( )

9

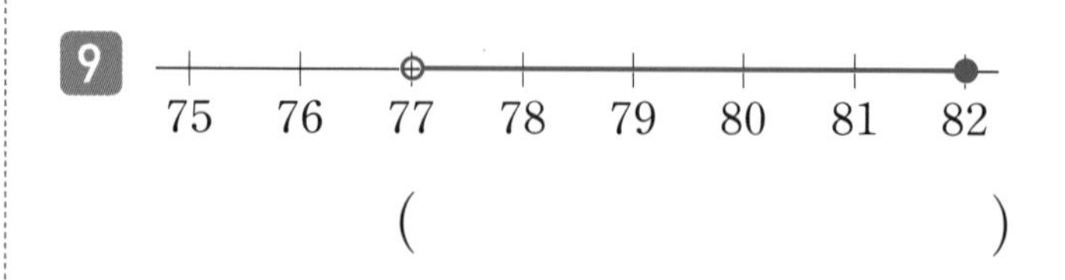

( )

10

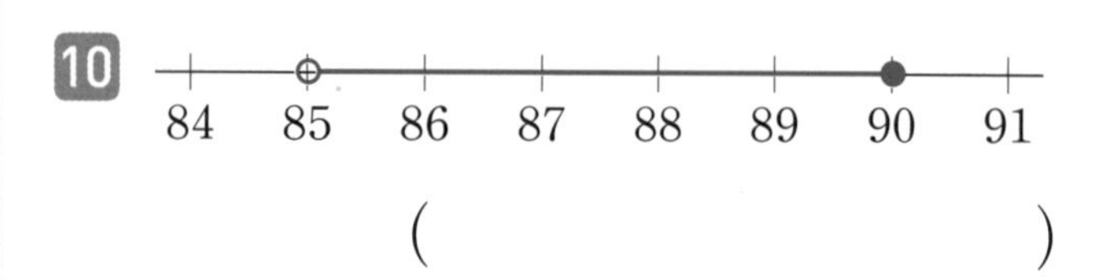

( )

수의 범위에 포함되는 수를 모두 찾아 ◯표 하세요.

11 12 초과 19 이하인 수

19	7	12	13	11	24

12 18 초과 25 이하인 수

29	20	23	19	24	17

13 21 초과 26 이하인 수

23	20	39	26	27	14

14 34 초과 40 이하인 수

36	31	35	39	40	45

15 43 초과 50 이하인 수

59	33	47	46	31	43

16 47 초과 53 이하인 수

47	52	49	60	59	45

17 56 초과 63 이하인 수

63	59	65	56	62	57

18 61 초과 66 이하인 수

66	76	62	29	63	47

19 71 초과 77 이하인 수

76	75	72	64	77	82

20 75 초과 79 이하인 수

77	81	61	75	85	78

21 86 초과 96 이하인 수

89	94	85	99	80	90

22 99 초과 104 이하인 수

100	99	106	104	97	102

맞힌 개수

개 /22개

나의 학습 결과에 ◯표 하세요.

맞힌 개수	0~2개	3~11개	12~20개	21~22개
학습 방법	다시 한번 풀어 봐요.	계산 연습이 필요해요.	틀린 문제를 확인해요.	실수하지 않도록 집중해요.

QR 빠른 정답 확인

6. 초과와 이하

수의 범위에 포함되는 수를 모두 찾아 ◯표 하세요.

1 18 초과 23 이하인 수

10	23	16.3	23.1
21.5	35	18	19

2 22 초과 29 이하인 수

25	24.1	33	27
17	21.4	20	42

3 35 초과 40 이하인 수

31	37.5	42	35
52	40.6	39	30

4 46 초과 53 이하인 수

48	53.2	56.3	53
46.7	49.9	47	41

5 52 초과 59 이하인 수

48	53	62	59.3
61.2	60	54.3	59

6 65 초과 71 이하인 수

66.8	69	72	71.2
79	68.5	62.3	66

7 70 초과 78 이하인 수

70	78	79.6	78.1
53	75.4	82	69

8 84 초과 90 이하인 수

86	84	85.6	74
87	92.3	89.9	90

9 96 초과 102 이하인 수

105	97	96.6	101
112.2	106	100.7	86

10 107 초과 115 이하인 수

108.2	114	118	101.6
97	106	113.3	120

연산 in 문장제

정우네 학교 남자 태권도 선수들의 몸무게를 조사하여 나타낸 표입니다. 태권도에서 몸무게가 34 kg 초과 36 kg 이하인 체급이 밴텀급이라면 정우네 학교 남자 태권도 선수 중에서 밴텀급에 속하는 선수의 이름을 모두 써 보세요.

정우네 학교 남자 태권도 선수들의 몸무게

이름	정우	준호	민수	승호	현석
몸무게(kg)	36.0	43.5	34.1	46.8	38.3

34 초과 36 이하인 수는 36.0, 34.1입니다.
따라서 체급이 밴텀급인 선수는 정우, 민수입니다.

11 민호는 우체국에서 중량이 14.5 g인 우편물을 보내려고 합니다. 우편물에 대한 우편 요금이 다음과 같을 때 민호가 보내려는 우편물의 우편 요금은 얼마인지 구해 보세요.

중량	5 g 이하	5 g 초과 25 g 이하	25 g 초과 50 g 이하
우편 요금(원)	400	430	450

답 ______________

12 우리나라 여러 도시의 1월 최고 기온을 조사하여 나타낸 표입니다. 최고 기온이 4 °C 초과 9 °C 이하인 도시를 모두 써 보세요.

도시별 1월 최고 기온

도시	인천	목포	태백	여수	철원	제주
기온(°C)	3.8	6.1	3.7	8.7	4.0	9.2

답 ______________

맞힌 개수
개 /12개

나의 학습 결과에 ○표 하세요.

맞힌 개수	0~2개	3~6개	7~10개	11~12개
학습 방법	다시 한번 풀어 봐요.	계산 연습이 필요해요.	틀린 문제를 확인해요.	실수하지 않도록 집중해요.

QR 빠른 정답 확인

13일차 연산&문장제 마무리

● 수의 범위를 수직선에 나타내어 보세요.

1 4 초과인 수

1 2 3 4 5 6 7 8

2 46 이하인 수

43 44 45 46 47 48 49 50

3 71 이상 75 미만인 수

70 71 72 73 74 75 76 77

● 수직선에 나타낸 수의 범위를 구해 보세요.

4 26 27 28 29 30 31 32 33

( )

5 51 52 53 54 55 56 57 58

( )

6 59 60 61 62 63 64 65 66

( )

● 수의 범위에 포함되는 수를 모두 찾아 ○표 하세요.

7 14 이상인 수

12 15.6 13 7.8 14 18

8 22 이상인 수

19 31 8 21 6 46

9 24 미만인 수

30 23 8 24 25 17

10 29 이하인 수

30 19 29 48 42 35

11 35 이하인 수

26 31.6 32 40.2 31 54

12 40 초과인 수

40 32 37.3 57 24 40.1

13 56 초과인 수

51 56 60 48 78 94

14 9 이상 16 이하인 수

19	13	10.5	9
20.1	6	17	8.2

15 11 초과 18 미만인 수

20	15	11	17
14.6	10	18	21

16 23 이상 39 이하인 수

18.1	37	29	26.7
23	41	39.5	52

17 26 초과 35 미만인 수

20	26	31.9	34
38.1	28	35	43.2

18 48 초과 56 미만인 수

42.3	50	56	55
38	49	48	57.2

19 13 이상 20 미만인 수

15.6	20	21.9	17
13	18	27	31.6

20 15 초과 22 이하인 수

19	22	14	28
9	21.9	15	25.3

21 39 이상 47 미만인 수

39	47	46.8	49
29.8	48	45	43.6

22 42 이상 51 미만인 수

41.4	51	50.2	48
32.8	40	51.9	42.1

23 47 초과 51 이하인 수

52.2	45	50	48
53	49.7	56	62.5

24 우리나라에서 투표할 수 있는 나이는 만 18세 이상입니다. 승호네 가족의 만 나이가 다음과 같을 때 투표할 수 있는 사람은 모두 몇 명인지 구해 보세요.

가족	아버지	어머니	누나	형	승호
나이(세)	49	45	18	16	12

답 ______________

25 통과 제한 높이가 2.3 m 미만인 터널이 있습니다. 이 터널을 통과할 수 있는 자동차의 기호를 모두 써 보세요.

자동차	가	나	다	라	마
높이(m)	1.9	3.4	5.1	2.2	4.4

답 ______________

26 씨름 대회의 체급별 몸무게를 조사하여 나타낸 표입니다. 몸무게가 47.5 kg인 연수는 어느 체급에 속하는지 구해 보세요.

체급별 몸무게

체급	한라급	지리급	설악급	태백급
몸무게(kg)	40 초과 45 이하	45 초과 50 이하	50 초과 55 이하	55 초과

답 ______________

27 어느 만화 카페의 이용 요금을 조사하여 나타낸 표입니다. 승현이가 1시간 30분 동안 이 만화 카페를 이용했다면 이용 요금으로 얼마를 내야 하는지 구해 보세요.

만화 카페 이용 요금

시간	1시간 미만	1시간 이상 2시간 미만	2시간 이상 3시간 미만	3시간 이상
요금(원)	3000	5000	8000	10000

답 ______________

맞힌 개수

개 /27개

나의 학습 결과에 ○표 하세요.

맞힌 개수	0~3개	4~14개	15~24개	25~27개
학습 방법	다시 한번 풀어 봐요.	계산 연습이 필요해요.	틀린 문제를 확인해요.	실수하지 않도록 집중해요.

QR 빠른 정답 확인

2

어림하기

학습 주제	학습 일차	맞힌 개수
1. 자연수의 올림	01일차	/38
	02일차	/18
2. 소수의 올림	03일차	/38
	04일차	/18
3. 자연수의 버림	05일차	/38
	06일차	/18
4. 소수의 버림	07일차	/38
	08일차	/18
5. 자연수의 반올림	09일차	/38
	10일차	/18
6. 소수의 반올림	11일차	/38
	12일차	/18
연산 & 문장제 마무리	13일차	/34

01 일차 1. 자연수의 올림

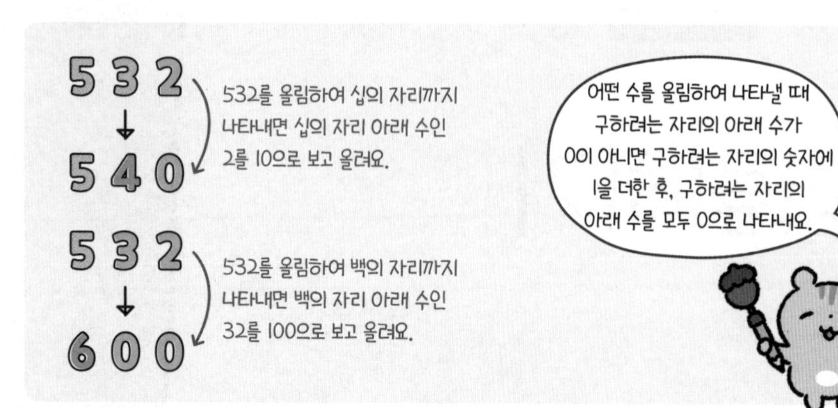

● 올림하여 십의 자리까지 나타내어 보세요.

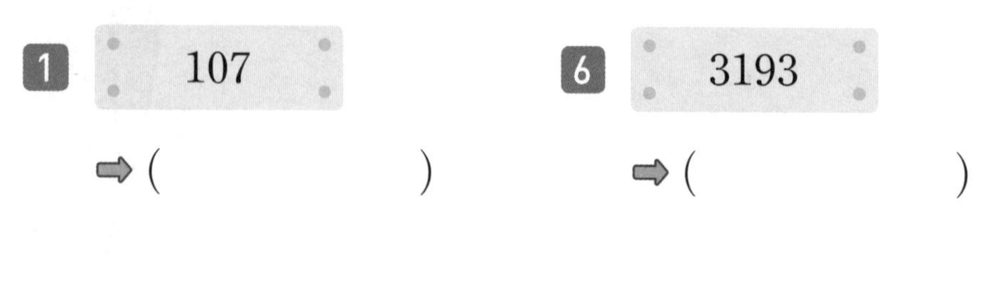

1. 107 ➡ (　　　　　)
2. 211 ➡ (　　　　　)
3. 460 ➡ (　　　　　)

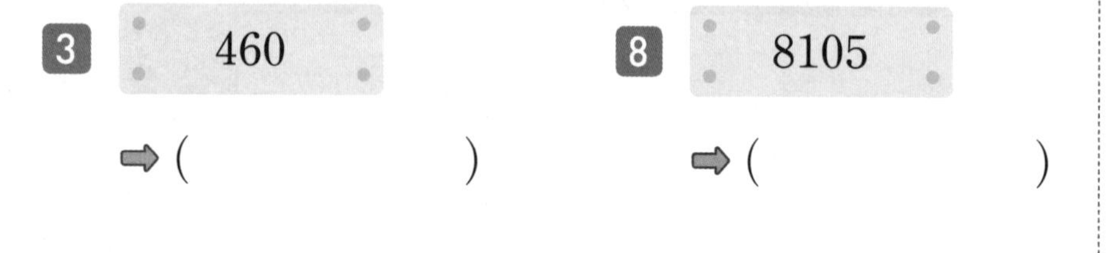

4. 729 ➡ (　　　　　)
5. 1004 ➡ (　　　　　)
6. 3193 ➡ (　　　　　)
7. 5379 ➡ (　　　　　)
8. 8105 ➡ (　　　　　)
9. 12013 ➡ (　　　　　)
10. 34901 ➡ (　　　　　)

● 올림하여 백의 자리까지 나타내어 보세요.

11. 213 ➡ (　　　　　)

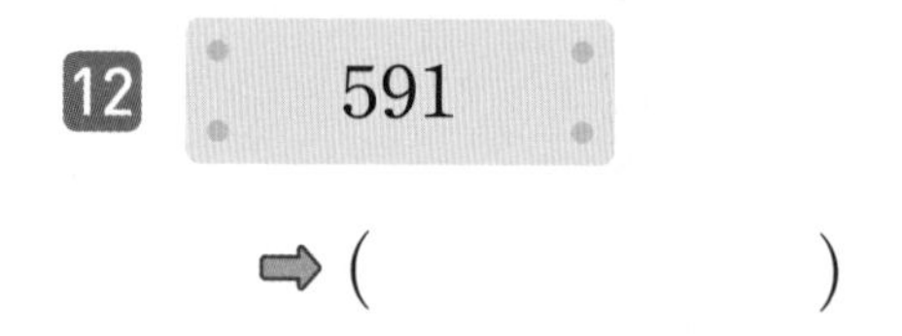

12. 591 ➡ (　　　　　)
13. 607 ➡ (　　　　　)
14. 1072 ➡ (　　　　　)
15. 2736 ➡ (　　　　　)
16. 4205 ➡ (　　　　　)
17. 7154 ➡ (　　　　　)

18 9920

➡ ( )

19 17122

➡ ( )

20 41183

➡ ( )

21 65271

➡ ( )

● 올림하여 천의 자리까지 나타내어 보세요.

22 2304

➡ ( )

23 3044

➡ ( )

24 4972

➡ ( )

25 6358

➡ ( )

26 8247

➡ ( )

27 10623

➡ ( )

28 31402

➡ ( )

29 55089

➡ ( )

30 62791

➡ ( )

31 84854

➡ ( )

● 올림하여 만의 자리까지 나타내어 보세요.

32 11326

➡ ( )

33 20183

➡ ( )

34 36278

➡ ( )

35 42051

➡ ( )

36 59220

➡ ( )

37 73105

➡ ( )

38 99124

➡ ( )

맞힌 개수
개 /38개

나의 학습 결과에 ○표 하세요.

맞힌 개수	0~4개	5~24개	25~34개	35~38개
학습 방법	다시 한번 풀어 봐요.	계산 연습이 필요해요.	틀린 문제를 확인해요.	실수하지 않도록 집중해요.

1. 자연수의 올림

올림하여 주어진 자리까지 나타내어 보세요.

1

수	십의 자리	백의 자리
180		

2

수	십의 자리	백의 자리
512		

3

수	십의 자리	백의 자리
843		

4

수	십의 자리	천의 자리
1023		

5

수	십의 자리	천의 자리
4720		

6

수	십의 자리	만의 자리
10912		

7

수	십의 자리	만의 자리
23734		

8

수	백의 자리	천의 자리
1027		

9

수	백의 자리	천의 자리
3501		

10

수	백의 자리	천의 자리
18179		

11

수	백의 자리	만의 자리
35230		

12

수	백의 자리	만의 자리
48304		

13

수	천의 자리	만의 자리
50236		

14

수	천의 자리	만의 자리
79268		

연산 in 문장제

학생 319명에게 사탕을 한 개씩 나누어 주려고 합니다. 사탕은 한 봉지에 10개씩 담아서 판다면 사탕을 적어도 몇 개를 사야 하는지 구해 보세요.

주어진 수	319
올리는 수	9
올림한 수	320

올림하여 십의 자리까지 나타냈어요.

319를 올림하여 십의 자리까지 나타내면 320입니다.
따라서 319명에게 사탕을 한 개씩 나누어 주려면 적어도 320개를 사야 합니다.

15 선물을 포장하는 데 리본 259 cm가 필요합니다. 리본을 100 cm씩 판다면 리본을 적어도 몇 cm 사야 하는지 구해 보세요.

답 ______________

→

주어진 수	
올리는 수	
올림한 수	

16 학생 104명이 승합차를 타고 현장 학습을 가려고 합니다. 승합차 한 대에 학생 10명이 탈 수 있다고 할 때, 승합차는 적어도 몇 대 필요한지 구해 보세요.

답 ______________

→

주어진 수	
올리는 수	
올림한 수	

17 희정이가 인형 가게에서 7800원짜리 곰 인형 한 개와 3500원짜리 고양이 인형 한 개를 사려고 합니다. 1000원짜리 지폐로 계산하려면 적어도 얼마가 필요한지 구해 보세요.

답 ______________

→

주어진 수	
올리는 수	
올림한 수	

18 채석장에서 29195 kg의 광물을 캐냈습니다. 이 광물을 10톤 트럭으로 모두 옮기려면 적어도 몇 번 옮겨야 하는지 구해 보세요.

답 ______________

→

주어진 수	
올리는 수	
올림한 수	

맞힌 개수

개 /18개

나의 학습 결과에 ○표 하세요.

맞힌 개수	0~2개	3~9개	10~16개	17~18개
학습 방법	다시 한번 풀어 봐요.	계산 연습이 필요해요.	틀린 문제를 확인해요.	실수하지 않도록 집중해요.

QR 빠른 정답 확인

2. 소수의 올림

4.26
↓
5

4.26을 올림하여 일의 자리까지 나타내면 일의 자리 아래 수인 0.26을 1로 보고 올려요.

4.26
↓
4.3

4.26을 올림하여 소수 첫째 자리까지 나타내면 소수 첫째 자리 아래 수인 0.06을 0.1로 보고 올려요.

어떤 소수를 올림하여 나타낼 때 구하려는 자리의 아래 수가 0이 아니면 구하려는 자리의 숫자에 1을 더한 후, 구하려는 자리의 아래 수를 모두 0으로 나타내요.

● 올림하여 일의 자리까지 나타내어 보세요.

1 0.5
⇨ (　　　　)

2 1.2
⇨ (　　　　)

3 3.7
⇨ (　　　　)

4 6.6
⇨ (　　　　)

5 0.13
⇨ (　　　　)

6 1.45
⇨ (　　　　)

7 2.07
⇨ (　　　　)

8 4.92
⇨ (　　　　)

9 0.301
⇨ (　　　　)

10 2.493
⇨ (　　　　)

● 올림하여 소수 첫째 자리까지 나타내어 보세요.

11 0.14
⇨ (　　　　)

12 1.38
⇨ (　　　　)

13 3.46
⇨ (　　　　)

14 4.08
⇨ (　　　　)

15 6.11
⇨ (　　　　)

16 7.93
⇨ (　　　　)

17 9.25
⇨ (　　　　)

18 0.131

➡ (   )

19 1.604

➡ (   )

20 2.782

➡ (   )

21 3.923

➡ (   )

22 5.104

➡ (   )

23 7.629

➡ (   )

24 9.237

➡ (   )

● 올림하여 소수 둘째 자리까지 나타내어 보세요.

25 0.025

➡ (   )

26 0.417

➡ (   )

27 1.204

➡ (   )

28 1.956

➡ (   )

29 2.382

➡ (   )

30 3.271

➡ (   )

31 4.056

➡ (   )

32 5.803

➡ (   )

33 6.718

➡ (   )

34 7.359

➡ (   )

35 8.043

➡ (   )

36 9.507

➡ (   )

37 11.912

➡ (   )

38 13.834

➡ (   )

맞힌 개수

개 /38개

나의 학습 결과에 ○표 하세요.

맞힌 개수	0~4개	5~24개	25~34개	35~38개
학습 방법	다시 한번 풀어 봐요.	계산 연습이 필요해요.	틀린 문제를 확인해요.	실수하지 않도록 집중해요.

QR 빠른 정답 확인

2. 소수의 올림

올림하여 주어진 자리까지 나타내어 보세요.

1

수	일의 자리	소수 첫째 자리
0.32		

2

수	일의 자리	소수 첫째 자리
2.26		

3

수	일의 자리	소수 첫째 자리
4.17		

4

수	일의 자리	소수 첫째 자리
8.23		

5

수	일의 자리	소수 둘째 자리
1.029		

6

수	일의 자리	소수 둘째 자리
2.471		

7

수	일의 자리	소수 둘째 자리
4.738		

8

수	일의 자리	소수 둘째 자리
6.903		

9

수	일의 자리	소수 둘째 자리
7.715		

10

수	소수 첫째 자리	소수 둘째 자리
8.039		

11

수	소수 첫째 자리	소수 둘째 자리
9.361		

12

수	소수 첫째 자리	소수 둘째 자리
10.815		

13

수	소수 첫째 자리	소수 둘째 자리
12.023		

14

수	소수 첫째 자리	소수 둘째 자리
17.267		

연산 in 문장제

진성이네 가족이 캠핑을 가려고 합니다. 캠핑에 필요한 쌀의 양은 2.4 kg이고, 쌀은 한 봉지에 1 kg씩 포장해서 팔고 있습니다. 쌀을 적어도 몇 봉지 사야 하는지 구해 보세요.

2.4를 올림하여 일의 자리까지 나타내면 3입니다.
따라서 쌀 2.4 kg을 준비하려면 쌀을 적어도 3봉지 사야 합니다.

주어진 수	2.4
올리는 수	0.4
올림한 수	3

올림하여 일의 자리까지 나타냈어요.

15 창원이네 집의 거실 창에 커튼을 달려고 합니다. 거실 창의 가로가 1.7 m이고, 커튼은 가로가 1 m인 것을 사려고 합니다. 커튼을 적어도 몇 장 사야 하는지 구해 보세요.

➜

주어진 수	
올리는 수	
올림한 수	

답 ______________

16 감자전을 만드는 데 감자 0.536 kg이 필요합니다. 가게에서 감자를 0.01 kg씩 판다고 할 때, 감자를 적어도 몇 kg 사야 하는지 구해 보세요.

➜

주어진 수	
올리는 수	
올림한 수	

답 ______________

17 오렌지주스 0.48 L를 0.1 L씩 담을 수 있는 컵에 모두 나누어 담으려고 합니다. 컵이 적어도 몇 개 필요한지 구해 보세요.

➜

주어진 수	
올리는 수	
올림한 수	

답 ______________

18 항아리 한 개를 만드는 데 필요한 찰흙의 양은 1.22 kg이라고 합니다. 0.1 kg씩 나누어진 찰흙 덩어리가 적어도 몇 개 필요한지 구해 보세요.

➜

주어진 수	
올리는 수	
올림한 수	

답 ______________

맞힌 개수

개 /18개

나의 학습 결과에 ○표 하세요.

맞힌 개수	0～2개	3～9개	10～16개	17～18개
학습 방법	다시 한번 풀어 봐요.	계산 연습이 필요해요.	틀린 문제를 확인해요.	실수하지 않도록 집중해요.

QR 빠른 정답 확인

05일차 3. 자연수의 버림

4 7 7 ↓ 4 7 0 — 477을 버림하여 십의 자리까지 나타내면 십의 자리 아래 수인 7을 0으로 봐요.

4 7 7 ↓ 4 0 0 — 477을 버림하여 백의 자리까지 나타내면 백의 자리 아래 수인 77을 0으로 봐요.

어떤 수를 버림하여 나타낼 때 구하려는 자리의 숫자는 그대로 적고, 구하려는 자리의 아래 수를 모두 0으로 나타내요.

버림하여 십의 자리까지 나타내어 보세요.

1. 134 ⇨ (　　　　)
2. 253 ⇨ (　　　　)
3. 560 ⇨ (　　　　)
4. 735 ⇨ (　　　　)
5. 1102 ⇨ (　　　　)
6. 2271 ⇨ (　　　　)
7. 4768 ⇨ (　　　　)
8. 7239 ⇨ (　　　　)
9. 13824 ⇨ (　　　　)
10. 36473 ⇨ (　　　　)

버림하여 백의 자리까지 나타내어 보세요.

11. 255 ⇨ (　　　　)
12. 473 ⇨ (　　　　)
13. 706 ⇨ (　　　　)
14. 1273 ⇨ (　　　　)
15. 3514 ⇨ (　　　　)
16. 5432 ⇨ (　　　　)
17. 6204 ⇨ (　　　　)

18 8715

➡ (　　　　　　　　)

19 15341

➡ (　　　　　　　　)

20 32476

➡ (　　　　　　　　)

21 56382

➡ (　　　　　　　　)

버림하여 천의 자리까지 나타내어 보세요.

22 2413

➡ (　　　　　　　　)

23 4456

➡ (　　　　　　　　)

24 5907

➡ (　　　　　　　　)

25 7169

➡ (　　　　　　　　)

26 9366

➡ (　　　　　　　　)

27 14354

➡ (　　　　　　　　)

28 24018

➡ (　　　　　　　　)

29 43807

➡ (　　　　　　　　)

30 74736

➡ (　　　　　　　　)

31 92115

➡ (　　　　　　　　)

버림하여 만의 자리까지 나타내어 보세요.

32 18172

➡ (　　　　　　　　)

33 23809

➡ (　　　　　　　　)

34 40288

➡ (　　　　　　　　)

35 59527

➡ (　　　　　　　　)

36 60772

➡ (　　　　　　　　)

37 81320

➡ (　　　　　　　　)

38 96342

➡ (　　　　　　　　)

맞힌 개수

개 /38개

나의 학습 결과에 ○표 하세요.

맞힌 개수	0～4개	5～24개	25～34개	35～38개
학습 방법	다시 한번 풀어 봐요.	계산 연습이 필요해요.	틀린 문제를 확인해요.	실수하지 않도록 집중해요.

QR 빠른 정답 확인

3. 자연수의 버림

버림하여 주어진 자리까지 나타내어 보세요.

1

수	십의 자리	백의 자리
271		

2

수	십의 자리	백의 자리
438		

3

수	십의 자리	백의 자리
767		

4

수	십의 자리	천의 자리
2392		

5

수	십의 자리	천의 자리
6039		

6

수	십의 자리	만의 자리
20637		

7

수	십의 자리	만의 자리
33618		

8

수	백의 자리	천의 자리
2236		

9

수	백의 자리	천의 자리
5001		

10

수	백의 자리	천의 자리
12126		

11

수	백의 자리	만의 자리
20344		

12

수	백의 자리	만의 자리
56028		

13

수	천의 자리	만의 자리
62415		

14

수	천의 자리	만의 자리
80336		

연산 in 문장제

달걀 398개를 상자에 담아서 팔려고 합니다. 한 상자에 10개씩 담아서 판다면 팔 수 있는 달걀은 모두 몇 상자인지 구해 보세요.

398을 버림하여 십의 자리까지 나타내면 390입니다.
따라서 달걀 398개를 상자에 10개씩 담아 판다면 모두 39상자를 팔 수 있습니다.

주어진 수	398
버리는 수	8
버림한 수	390

버림하여 십의 자리까지 나타냈어요.

15 생선 148마리를 10마리씩 묶어서 팔려고 합니다. 팔 수 있는 생선은 모두 몇 마리인지 구해 보세요.

답 ______

→

주어진 수	
버리는 수	
버림한 수	

16 구슬 1232개를 한 봉지에 100개씩 담아서 팔려고 합니다. 팔 수 있는 구슬은 모두 몇 개인지 구해 보세요.

답 ______

→

주어진 수	
버리는 수	
버림한 수	

17 준영이가 저금통에 100원짜리 동전을 모았습니다. 가득 찬 저금통을 열어서 세어 보니 100원짜리 동전이 224개였습니다. 이 동전을 10000원짜리 지폐로 바꾸면 모두 얼마까지 바꿀 수 있는지 구해 보세요.

답 ______

→

주어진 수	
버리는 수	
버림한 수	

18 감자 14753개를 한 상자에 1000개씩 담아서 팔려고 합니다. 팔 수 있는 감자는 모두 몇 상자인지 구해 보세요.

답 ______

→

주어진 수	
버리는 수	
버림한 수	

맞힌 개수

개 /18개

나의 학습 결과에 ○표 하세요.

맞힌 개수	0~2개	3~9개	10~16개	17~18개
학습 방법	다시 한번 풀어 봐요.	계산 연습이 필요해요.	틀린 문제를 확인해요.	실수하지 않도록 집중해요.

QR 빠른 정답 확인

07 일차 4. 소수의 버림

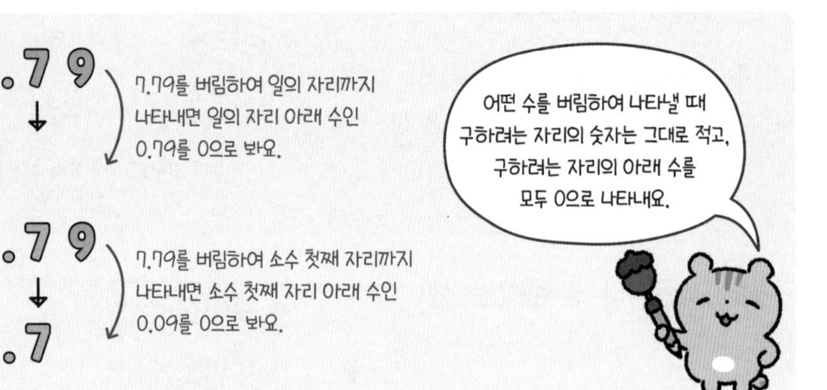

버림하여 일의 자리까지 나타내어 보세요.

1. 0.4 ➡ (　　　)
2. 2.9 ➡ (　　　)
3. 4.7 ➡ (　　　)
4. 7.8 ➡ (　　　)
5. 0.14 ➡ (　　　)
6. 1.32 ➡ (　　　)
7. 3.14 ➡ (　　　)
8. 5.68 ➡ (　　　)
9. 0.243 ➡ (　　　)
10. 1.037 ➡ (　　　)

버림하여 소수 첫째 자리까지 나타내어 보세요.

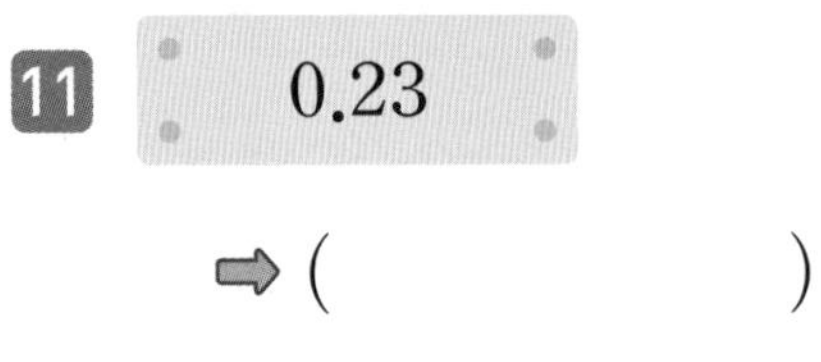

11. 0.23 ➡ (　　　)

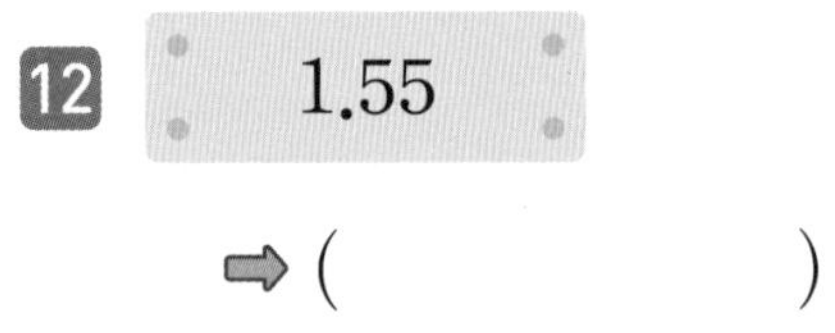

12. 1.55 ➡ (　　　)
13. 2.08 ➡ (　　　)
14. 5.44 ➡ (　　　)
15. 6.29 ➡ (　　　)
16. 8.37 ➡ (　　　)
17. 9.99 ➡ (　　　)

18 0.336

➡ (   )

19 1.646

➡ (   )

20 2.081

➡ (   )

21 4.857

➡ (   )

22 6.318

➡ (   )

23 7.905

➡ (   )

24 8.356

➡ (   )

버림하여 소수 둘째 자리까지 나타내어 보세요.

25 0.138

➡ (   )

32 5.537

➡ (   )

26 0.627

➡ (   )

33 6.079

➡ (   )

27 1.542

➡ (   )

34 7.914

➡ (   )

28 1.809

➡ (   )

35 9.202

➡ (   )

29 2.233

➡ (   )

36 10.453

➡ (   )

30 3.694

➡ (   )

37 13.731

➡ (   )

31 4.075

➡ (   )

38 15.618

➡ (   )

맞힌 개수

개 /38개

나의 학습 결과에 ○표 하세요.

맞힌 개수	0~4개	5~24개	25~34개	35~38개
학습 방법	다시 한번 풀어 봐요.	계산 연습이 필요해요.	틀린 문제를 확인해요.	실수하지 않도록 집중해요.

QR 빠른 정답 확인

4. 소수의 버림

버림하여 주어진 자리까지 나타내어 보세요.

1

수	일의 자리	소수 첫째 자리
0.29		

2

수	일의 자리	소수 첫째 자리
3.01		

3

수	일의 자리	소수 첫째 자리
5.63		

4

수	일의 자리	소수 첫째 자리
8.47		

5

수	일의 자리	소수 둘째 자리
2.193		

6

수	일의 자리	소수 둘째 자리
4.028		

7

수	일의 자리	소수 둘째 자리
6.627		

8

수	일의 자리	소수 둘째 자리
7.836		

9

수	일의 자리	소수 둘째 자리
8.605		

10

수	소수 첫째 자리	소수 둘째 자리
9.082		

11

수	소수 첫째 자리	소수 둘째 자리
10.514		

12

수	소수 첫째 자리	소수 둘째 자리
12.367		

13

수	소수 첫째 자리	소수 둘째 자리
16.323		

14

수	소수 첫째 자리	소수 둘째 자리
19.072		

연산 in 문장제

선물 한 개를 포장하는 데 리본 1 m가 필요합니다. 리본 4.6 m로 포장할 수 있는 선물은 모두 몇 개인지 구해 보세요.

4.6을 버림하여 일의 자리까지 나타내면 4입니다.
따라서 리본 4.6 m로 포장할 수 있는 선물은 모두 4개입니다.

주어진 수	4.6
버리는 수	0.6
버림한 수	4

버림하여 일의 자리까지 나타냈어요.

15 생수 공장에서 생수 4986.8 L를 생산하였습니다. 한 병에 1 L씩 담는다면 팔 수 있는 생수는 모두 몇 병인지 구해 보세요.

답 ______________

➜

주어진 수	
버리는 수	
버림한 수	

16 소고기 64.84 kg을 0.1 kg씩 포장하여 팔려고 합니다. 팔 수 있는 소고기는 모두 몇 kg인지 구해 보세요.

답 ______________

➜

주어진 수	
버리는 수	
버림한 수	

17 사과주스 1.25 L로 아이스크림을 만들려고 합니다. 아이스크림 하나를 만드는 데 사과주스 0.1 L가 사용된다면 만들 수 있는 아이스크림은 모두 몇 개인지 구해 보세요.

답 ______________

➜

주어진 수	
버리는 수	
버림한 수	

18 고양이 인형을 한 개 만드는 데 지점토가 0.01 kg 필요합니다. 지점토 1.576 kg으로 만들 수 있는 고양이 인형은 모두 몇 개인지 구해 보세요.

답 ______________

➜

주어진 수	
버리는 수	
버림한 수	

맞힌 개수

개 /18개

나의 학습 결과에 ○표 하세요.

맞힌 개수	0~2개	3~9개	10~16개	17~18개
학습 방법	다시 한번 풀어 봐요.	계산 연습이 필요해요.	틀린 문제를 확인해요.	실수하지 않도록 집중해요.

QR 빠른 정답 확인

09 일차 5. 자연수의 반올림

4 6 3 → 4 6 0 : 463을 반올림하여 십의 자리까지 나타내면 일의 자리 숫자인 3을 버려요.

4 6 3 → 5 0 0 : 463을 반올림하여 백의 자리까지 나타내면 십의 자리 숫자인 6을 올려요.

반올림은 구하려는 자리 바로 아래 자리의 숫자가 0, 1, 2, 3, 4이면 버리고, 5, 6, 7, 8, 9이면 올려서 나타내는 방법이에요.

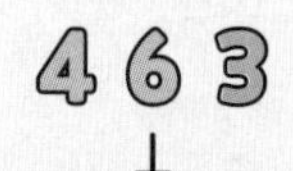

반올림하여 십의 자리까지 나타내어 보세요.

1. 125 ⇨ (　　　　)
2. 324 ⇨ (　　　　)
3. 572 ⇨ (　　　　)
4. 628 ⇨ (　　　　)
5. 840 ⇨ (　　　　)
6. 1127 ⇨ (　　　　)
7. 4281 ⇨ (　　　　)
8. 6309 ⇨ (　　　　)
9. 11433 ⇨ (　　　　)
10. 27064 ⇨ (　　　　)

반올림하여 백의 자리까지 나타내어 보세요.

11. 142 ⇨ (　　　　)
12. 474 ⇨ (　　　　)
13. 693 ⇨ (　　　　)
14. 1229 ⇨ (　　　　)
15. 3156 ⇨ (　　　　)
16. 5373 ⇨ (　　　　)
17. 8705 ⇨ (　　　　)

18. 9031

⇨ (　　　　　)

19. 14379

⇨ (　　　　　)

20. 38614

⇨ (　　　　　)

21. 63250

⇨ (　　　　　)

반올림하여 천의 자리까지 나타내어 보세요.

22. 1486

⇨ (　　　　　)

23. 2311

⇨ (　　　　　)

24. 5578

⇨ (　　　　　)

25. 7003

⇨ (　　　　　)

26. 9727

⇨ (　　　　　)

27. 10532

⇨ (　　　　　)

28. 14664

⇨ (　　　　　)

29. 41896

⇨ (　　　　　)

30. 77293

⇨ (　　　　　)

31. 82433

⇨ (　　　　　)

반올림하여 만의 자리까지 나타내어 보세요.

32. 15629

⇨ (　　　　　)

33. 23072

⇨ (　　　　　)

34. 33187

⇨ (　　　　　)

35. 46599

⇨ (　　　　　)

36. 60943

⇨ (　　　　　)

37. 87924

⇨ (　　　　　)

38. 92292

⇨ (　　　　　)

맞힌 개수

개 /38개

나의 학습 결과에 ○표 하세요.

맞힌 개수	0~4개	5~24개	25~34개	35~38개
학습 방법	다시 한번 풀어 봐요.	계산 연습이 필요해요.	틀린 문제를 확인해요.	실수하지 않도록 집중해요.

QR 빠른 정답 확인

5. 자연수의 반올림

반올림하여 주어진 자리까지 나타내어 보세요.

1

수	십의 자리	백의 자리
233		

2

수	십의 자리	백의 자리
657		

3

수	십의 자리	백의 자리
902		

4

수	십의 자리	천의 자리
1124		

5

수	십의 자리	천의 자리
3520		

6

수	십의 자리	만의 자리
10012		

7

수	십의 자리	만의 자리
21876		

8

수	백의 자리	천의 자리
4223		

9

수	백의 자리	천의 자리
6552		

10

수	백의 자리	천의 자리
14026		

11

수	백의 자리	만의 자리
20307		

12

수	백의 자리	만의 자리
56294		

13

수	천의 자리	만의 자리
79458		

14

수	천의 자리	만의 자리
82181		

연산 in 문장제

승준이네 학교의 전체 학생 수는 664명입니다. 전체 학생 수를 반올림하여 십의 자리까지 나타내어 보세요.

승준이네 학교의 전체 학생 수 664명을 반올림하여 십의 자리까지 나타내면 660명입니다.

주어진 수	664
구하려는 자리 바로 아래 자리의 숫자	4
반올림한 수	660

반올림하여 십의 자리까지 나타냈어요.

15 어느 수학 문제집에 2889문제가 들어 있습니다. 이 문제집의 문제 수를 반올림하여 십의 자리까지 나타내어 보세요.

답 ____________

→

주어진 수	
구하려는 자리 바로 아래 자리의 숫자	
반올림한 수	

16 지수네 과수원에서 귤 2174개를 땄습니다. 귤의 수를 반올림하여 백의 자리까지 나타내어 보세요.

답 ____________

→

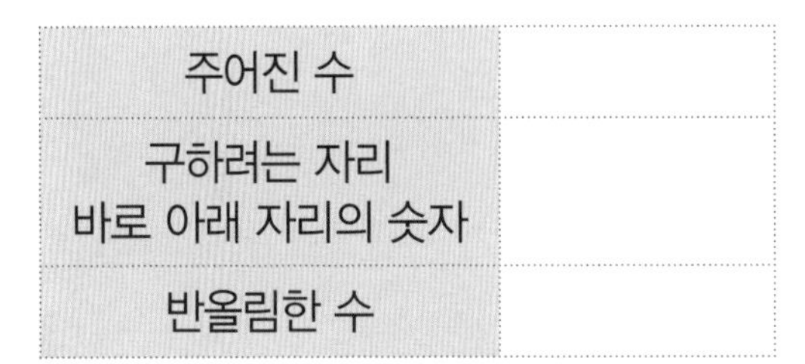

주어진 수	
구하려는 자리 바로 아래 자리의 숫자	
반올림한 수	

17 어느 놀이공원의 하루 입장객 수가 33576명입니다. 하루 입장객 수를 반올림하여 천의 자리까지 나타내어 보세요.

답 ____________

→

주어진 수	
구하려는 자리 바로 아래 자리의 숫자	
반올림한 수	

18 어느 도시의 인구수가 321578명입니다. 이 도시의 인구수를 반올림하여 만의 자리까지 나타내어 보세요.

답 ____________

→

주어진 수	
구하려는 자리 바로 아래 자리의 숫자	
반올림한 수	

맞힌 개수

개 /18개

나의 학습 결과에 ○표 하세요.

맞힌 개수	0~2개	3~9개	10~16개	17~18개
학습 방법	다시 한번 풀어 봐요.	계산 연습이 필요해요.	틀린 문제를 확인해요.	실수하지 않도록 집중해요.

QR 빠른 정답 확인

11 일차 6. 소수의 반올림

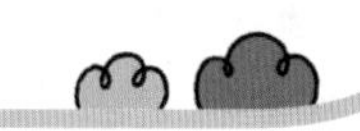

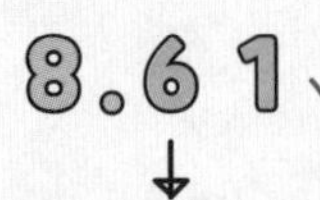

8.61 → 9
8.61을 반올림하여 일의 자리까지 나타내면 소수 첫째 자리 숫자인 6을 올려요.

8.61 → 8.6
8.61을 반올림하여 소수 첫째 자리까지 나타내면 소수 둘째 자리 숫자인 1을 버려요.

올림과 버림은 구하려는 자리의 아래 수를 모두 확인해야 하지만, 반올림은 구하려는 자리 바로 아래 자리의 숫자만 확인해요.

반올림하여 일의 자리까지 나타내어 보세요.

1 0.7
⇨ (   )

2 2.3
⇨ (   )

3 4.8
⇨ (   )

4 7.5
⇨ (   )

5 0.12
⇨ (   )

6 1.82
⇨ (   )

7 3.09
⇨ (   )

8 5.76
⇨ (   )

9 0.643
⇨ (   )

10 1.038
⇨ (   )

반올림하여 소수 첫째 자리까지 나타내어 보세요.

11 0.26
⇨ (   )

12 1.57
⇨ (   )

13 2.04
⇨ (   )

14 5.49
⇨ (   )

15 6.31
⇨ (   )

16 8.36
⇨ (   )

17 9.92
⇨ (   )

18 0.337

➡ (   )

19 1.546

➡ (   )

20 2.073

➡ (   )

21 4.846

➡ (   )

22 6.312

➡ (   )

23 7.954

➡ (   )

24 8.376

➡ (   )

반올림하여 소수 둘째 자리까지 나타내어 보세요.

25 0.136

➡ (   )

26 0.629

➡ (   )

27 1.543

➡ (   )

28 1.804

➡ (   )

29 2.231

➡ (   )

30 3.692

➡ (   )

31 4.073

➡ (   )

32 5.538

➡ (   )

33 6.072

➡ (   )

34 7.911

➡ (   )

35 9.205

➡ (   )

36 10.458

➡ (   )

37 13.736

➡ (   )

38 15.617

➡ (   )

맞힌 개수

개 /38개

나의 학습 결과에 ○표 하세요.

맞힌 개수	0~4개	5~24개	25~34개	35~38개
학습 방법	다시 한번 풀어 봐요.	계산 연습이 필요해요.	틀린 문제를 확인해요.	실수하지 않도록 집중해요.

QR 빠른 정답 확인

6. 소수의 반올림

반올림하여 주어진 자리까지 나타내어 보세요.

1

수	일의 자리	소수 첫째 자리
0.06		

2

수	일의 자리	소수 첫째 자리
1.27		

3

수	일의 자리	소수 첫째 자리
2.64		

4

수	일의 자리	소수 첫째 자리
4.07		

5

수	일의 자리	소수 둘째 자리
5.931		

6

수	일의 자리	소수 둘째 자리
6.208		

7

수	일의 자리	소수 둘째 자리
7.677		

8

수	일의 자리	소수 둘째 자리
8.394		

9

수	일의 자리	소수 둘째 자리
9.614		

10

수	소수 첫째 자리	소수 둘째 자리
10.803		

11

수	소수 첫째 자리	소수 둘째 자리
11.436		

12

수	소수 첫째 자리	소수 둘째 자리
13.645		

13

수	소수 첫째 자리	소수 둘째 자리
15.892		

14

수	소수 첫째 자리	소수 둘째 자리
18.147		

연산 in 문장제

남호의 멀리뛰기 기록은 121.4 cm입니다. 남호의 멀리뛰기 기록을 반올림하여 일의 자리까지 나타내어 보세요.

남호의 멀리뛰기 기록 121.4 cm를 반올림하여 일의 자리까지 나타내면 121 cm입니다.

주어진 수	121.4
구하려는 자리 바로 아래 자리의 숫자	4
반올림한 수	121

반올림하여 일의 자리까지 나타냈어요.

15 성희가 딸기 농장에서 딴 딸기의 무게는 45.7 kg입니다. 성희가 딴 딸기의 무게를 반올림하여 일의 자리까지 나타내어 보세요.

답 ____________

→

주어진 수	
구하려는 자리 바로 아래 자리의 숫자	
반올림한 수	

16 재영이네 집에서 학교까지의 거리는 2.17 km입니다. 재영이네 집에서 학교까지의 거리를 반올림하여 소수 첫째 자리까지 나타내어 보세요.

답 ____________

→

주어진 수	
구하려는 자리 바로 아래 자리의 숫자	
반올림한 수	

17 윤경이의 높이뛰기 기록은 109 cm입니다. 윤경이의 높이뛰기 기록이 몇 m인지 반올림하여 소수 첫째 자리까지 나타내어 보세요.

답 ____________

→

주어진 수	
구하려는 자리 바로 아래 자리의 숫자	
반올림한 수	

18 어느 과수원에서 포도 1487 kg을 수확하였습니다. 수확한 포도의 양이 몇 t인지 반올림하여 소수 둘째 자리까지 나타내어 보세요.

답 ____________

→

주어진 수	
구하려는 자리 바로 아래 자리의 숫자	
반올림한 수	

맞힌 개수

개 /18개

나의 학습 결과에 ○표 하세요.

맞힌 개수	0~2개	3~9개	10~16개	17~18개
학습 방법	다시 한번 풀어 봐요.	계산 연습이 필요해요.	틀린 문제를 확인해요.	실수하지 않도록 집중해요.

QR 빠른 정답 확인

13일차 연산&문장제 마무리

올림하여 주어진 자리까지 나타내어 보세요.

1 십의 자리까지

757 ⇨ (　　　　)

2 백의 자리까지

1234 ⇨ (　　　　)

3 천의 자리까지

6519 ⇨ (　　　　)

4 만의 자리까지

17312 ⇨ (　　　　)

5 일의 자리까지

0.6 ⇨ (　　　　)

6 소수 첫째 자리까지

1.17 ⇨ (　　　　)

7 소수 둘째 자리까지

2.099 ⇨ (　　　　)

버림하여 주어진 자리까지 나타내어 보세요.

8 십의 자리까지

598 ⇨ (　　　　)

9 백의 자리까지

2571 ⇨ (　　　　)

10 천의 자리까지

5372 ⇨ (　　　　)

11 만의 자리까지

22671 ⇨ (　　　　)

12 일의 자리까지

1.4 ⇨ (　　　　)

13 소수 첫째 자리까지

2.12 ⇨ (　　　　)

14 소수 둘째 자리까지

3.649 ⇨ (　　　　)

반올림하여 주어진 자리까지 나타내어 보세요.

15 십의 자리까지

687 ⇨ (   )

16 백의 자리까지

3920 ⇨ (   )

17 천의 자리까지

4557 ⇨ (   )

18 만의 자리까지

50023 ⇨ (   )

19 일의 자리까지

4.5 ⇨ (   )

20 소수 첫째 자리까지

5.126 ⇨ (   )

21 소수 둘째 자리까지

7.995 ⇨ (   )

수를 주어진 자리까지 어림하세요.

22 십의 자리까지

수	올림	버림	반올림
426			

23 백의 자리까지

수	올림	버림	반올림
857			

24 천의 자리까지

수	올림	버림	반올림
2368			

25 만의 자리까지

수	올림	버림	반올림
39685			

26 일의 자리까지

수	올림	버림	반올림
3.4			

27 소수 첫째 자리까지

수	올림	버림	반올림
6.167			

28 소수 둘째 자리까지

수	올림	버림	반올림
9.921			

정답 11쪽

29 유진이네 학교 학생 725명에게 지우개를 하나씩 나누어 주려고 합니다. 지우개를 100개씩 판다면 지우개를 적어도 몇 개 사야 하는지 구해 보세요.

답 ______________

30 우유 1.21 L를 0.1 L씩 담을 수 있는 컵에 모두 나누어 담으려고 합니다. 컵이 적어도 몇 개 필요한지 구해 보세요.

답 ______________

31 슬비가 저금통에 100원짜리 동전 283개를 모았습니다. 동전을 1000원짜리 지폐로 바꾸면 최대 얼마까지 바꿀 수 있는지 구해 보세요.

답 ______________

32 꽃 모양 장식을 만드는 데 리본 0.1 m가 필요합니다. 리본 8.32 m로 꽃 모양 장식을 최대 몇 개 만들 수 있는지 구해 보세요.

답 ______________

33 K리그 결승전을 보기 위해 축구장에 입장한 관람객의 수는 57396명입니다. 입장한 관람객의 수를 반올림하여 만의 자리까지 나타내어 보세요.

답 ______________

34 채린이가 가지고 있는 머리핀의 길이는 6.8 cm입니다. 이 머리핀의 길이를 반올림하여 일의 자리까지 나타내어 보세요.

답 ______________

연산 노트

맞힌 개수

개 /34개

나의 학습 결과에 ○표 하세요.

맞힌 개수	0~6개	7~18개	19~30개	31~34개
학습 방법	다시 한번 풀어 봐요.	계산 연습이 필요해요.	틀린 문제를 확인해요.	실수하지 않도록 집중해요.

QR 빠른 정답 확인

3

분수의 곱셈 (1)

학습 주제	학습 일차	맞힌 개수
1. (진분수)×(자연수)	01일차	/29
	02일차	/25
2. (대분수)×(자연수)	03일차	/28
	04일차	/25
3. (분수)×(자연수)	05일차	/45
4. (자연수)×(진분수)	06일차	/32
	07일차	/25
5. (자연수)×(대분수)	08일차	/32
	09일차	/25
6. (자연수)×(분수)	10일차	/45
7. (단위분수)×(단위분수)	11일차	/22
8. (단위분수)×(진분수), (진분수)×(단위분수)	12일차	/29
	13일차	/25
연산 & 문장제 마무리	14일차	/51

1. (진분수)×(자연수)

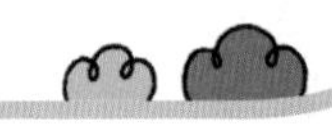

방법1 분자와 자연수를 곱한 후 약분하여 계산하기

$$\frac{7}{12}\times 8=\frac{7\times 8}{12}=\frac{\overset{14}{\cancel{56}}}{\underset{3}{\cancel{12}}}=\frac{14}{3}=4\frac{2}{3}$$

방법2 분자와 자연수를 곱하기 전 약분하여 계산하기

$$\frac{7}{12}\times 8=\frac{7\times \overset{2}{\cancel{8}}}{\underset{3}{\cancel{12}}}=\frac{14}{3}=4\frac{2}{3}$$

방법3 (진분수)×(자연수)의 식에서 분모와 자연수를 약분하여 계산하기

$$\frac{7}{\underset{3}{\cancel{12}}}\times \overset{2}{\cancel{8}}=\frac{14}{3}=4\frac{2}{3}$$

□ 안에 알맞은 수를 써넣으세요.

1. $\frac{1}{3}\times 5=\frac{1\times 5}{3}=\frac{\square}{3}=\square$

2. $\frac{3}{4}\times 9=\frac{3\times 9}{4}=\frac{\square}{4}=\square$

3. $\frac{5}{8}\times 6=\frac{5\times 6}{8}=\frac{\overset{\square}{\cancel{30}}}{\underset{4}{\cancel{8}}}=\frac{\square}{4}=\square$

4. $\frac{4}{9}\times 3=\frac{4\times 3}{9}=\frac{\overset{\square}{\cancel{12}}}{\underset{3}{\cancel{9}}}=\frac{\square}{3}=\square$

5. $\frac{9}{10}\times 15=\frac{9\times \overset{\square}{\cancel{15}}}{\underset{2}{\cancel{10}}}=\frac{\square}{2}=\square$

6. $\frac{11}{14}\times 21=\frac{11\times \overset{\square}{\cancel{21}}}{\underset{2}{\cancel{14}}}=\frac{\square}{2}=\square$

7. $\frac{2}{\underset{5}{\cancel{15}}}\times \overset{\square}{\cancel{12}}=\frac{\square}{5}=\square$

8. $\frac{7}{\underset{2}{\cancel{18}}}\times \overset{\square}{\cancel{45}}=\frac{\square}{2}=\square$

계산을 하여 기약분수로 나타내어 보세요.

9 $\frac{1}{2}\times7$

10 $\frac{4}{5}\times2$

11 $\frac{3}{7}\times14$

12 $\frac{5}{11}\times12$

13 $\frac{3}{16}\times20$

14 $\frac{11}{18}\times6$

15 $\frac{2}{19}\times13$

16 $\frac{17}{20}\times15$

17 $\frac{13}{21}\times9$

18 $\frac{20}{23}\times5$

19 $\frac{11}{24}\times36$

20 $\frac{21}{26}\times8$

21 $\frac{9}{28}\times3$

22 $\frac{6}{29}\times10$

23 $\frac{9}{32}\times24$

24 $\frac{32}{33}\times11$

25 $\frac{29}{35}\times4$

26 $\frac{4}{39}\times52$

27 $\frac{7}{40}\times50$

28 $\frac{13}{42}\times35$

29 $\frac{41}{45}\times18$

맞힌 개수
개 /29개

나의 학습 결과에 ○표 하세요.

맞힌 개수	0~3개	4~15개	16~26개	27~29개
학습 방법	다시 한번 풀어 봐요.	계산 연습이 필요해요.	틀린 문제를 확인해요.	실수하지 않도록 집중해요.

QR 빠른 정답 확인

1. (진분수) × (자연수)

계산을 하여 기약분수로 나타내어 보세요.

1 $\frac{2}{3} \times 7$

2 $\frac{1}{4} \times 5$

3 $\frac{5}{6} \times 24$

4 $\frac{4}{7} \times 6$

5 $\frac{9}{13} \times 65$

6 $\frac{7}{15} \times 25$

7 $\frac{12}{17} \times 8$

8 $\frac{13}{22} \times 55$

9 $\frac{6}{25} \times 9$

10 $\frac{25}{27} \times 12$

11 $\frac{17}{30} \times 15$

12 $\frac{10}{31} \times 8$

13 $\frac{3}{34} \times 51$

14 $\frac{35}{36} \times 27$

15 $\frac{14}{37} \times 74$

16 $\frac{8}{41} \times 6$

17 $\frac{29}{42} \times 10$

18 $\frac{15}{44} \times 3$

19 $\frac{25}{48} \times 12$

20 $\frac{30}{49} \times 14$

21 $\frac{11}{50} \times 60$

연산 in 문장제

도자기 체험에서 그릇을 만드는 데 한 명에게 점토를 $\frac{3}{4}$ kg씩 나누어 주려고 합니다. 16명에게 나누어 주려면 필요한 점토는 모두 몇 kg인지 구해 보세요.

방법1 $\frac{3}{4} \times 16 = \frac{3 \times 16}{4} = \frac{\cancel{48}^{12}}{\cancel{4}_{1}} = 12$ (kg)

- $\frac{3}{4}$: 한 명에게 나누어 주려는 점토의 무게
- 16: 나누어 주려는 사람 수
- 12: 필요한 점토의 무게

방법2 $\frac{3}{4} \times 16 = \frac{3 \times \cancel{16}^{4}}{\cancel{4}_{1}} = 12$ (kg)

방법3 $\frac{3}{\cancel{4}_{1}} \times \cancel{16}^{4} = 12$ (kg)

22 한 명이 피자 한 판의 $\frac{3}{10}$씩 먹으려고 합니다. 20명이 먹으려면 필요한 피자는 모두 몇 판인지 구해 보세요.

답 

23 대추가 한 통에 $\frac{2}{9}$ kg씩 들어 있습니다. 4개의 통에 들어 있는 대추는 모두 몇 kg인지 구해 보세요.

답 ______

24 한 변의 길이가 $\frac{7}{8}$ m인 정육각형 모양의 화단이 있습니다. 이 화단의 둘레는 몇 m인지 구해 보세요.

답 ______

25 현지네 반 학생들은 아침에 우유를 한 명이 $\frac{2}{5}$ L씩 마십니다. 학생 25명이 아침에 마시는 우유는 모두 몇 L인지 구해 보세요.

답 

맞힌 개수	나의 학습 결과에 ○표 하세요.			
개 /25개	맞힌 개수	0~3개	4~13개	14~22개	23~25개
	학습 방법	다시 한번 풀어 봐요.	계산 연습이 필요해요.	틀린 문제를 확인해요.	실수하지 않도록 집중해요.

QR 빠른 정답 확인

03 일차 2. (대분수)×(자연수)

방법1 대분수를 가분수로 바꾸어 계산하기

$$1\frac{1}{5}\times 6=\frac{6}{5}\times 6=\frac{36}{5}=7\frac{1}{5}$$

대분수를 가분수로 바꾸어요.

방법2 대분수를 자연수 부분과 진분수 부분으로 나누어 계산하기

$$1\frac{1}{5}\times 6=(1\times 6)+\left(\frac{1}{5}\times 6\right)$$

$$=6+\frac{6}{5}=6+1\frac{1}{5}=7\frac{1}{5}$$

● □ 안에 알맞은 수를 써넣으세요.

1 $2\frac{1}{2}\times 5=\frac{\square}{2}\times 5=\frac{\square}{2}=\square$

2 $2\frac{3}{4}\times 9=\frac{\square}{4}\times 9=\frac{\square}{4}=\square$

3 $1\frac{5}{6}\times 4=\frac{\square}{\cancel{6}_{3}}\times \cancel{4}^{\square}=\frac{\square}{3}=\square$

4 $1\frac{11}{14}\times 21=\frac{\square}{\cancel{14}_{2}}\times \cancel{21}^{\square}=\frac{\square}{2}$

$=\square$

5 $3\frac{2}{7}\times 6=(\square\times 6)+\left(\frac{\square}{7}\times 6\right)$

$=\square+\frac{\square}{7}$

$=\square+\square\frac{\square}{7}=\square$

6 $1\frac{7}{8}\times 10=(\square\times 10)+\left(\frac{\square}{\cancel{8}_{4}}\times \cancel{10}^{\square}\right)$

$=\square+\frac{\square}{4}$

$=\square+\square\frac{\square}{4}=\square$

7 $2\frac{8}{11}\times 22=(\square\times 22)+\left(\frac{\square}{\cancel{11}_{1}}\times \cancel{22}^{\square}\right)$

$=\square+16=\square$

● 계산을 하여 기약분수로 나타내어 보세요.

8 $1\frac{2}{3}\times 7$

9 $2\frac{1}{4}\times 12$

10 $4\frac{2}{5}\times 3$

11 $1\frac{4}{7}\times 11$

12 $1\frac{5}{9}\times 12$

13 $2\frac{7}{10}\times 15$

14 $1\frac{1}{11}\times 9$

15 $2\frac{5}{12}\times 5$

16 $1\frac{9}{13}\times 6$

17 $1\frac{8}{15}\times 45$

18 $1\frac{15}{16}\times 24$

19 $1\frac{11}{18}\times 12$

20 $3\frac{12}{19}\times 2$

21 $1\frac{19}{20}\times 40$

22 $2\frac{10}{21}\times 35$

23 $2\frac{5}{22}\times 33$

24 $1\frac{4}{23}\times 7$

25 $4\frac{1}{26}\times 8$

26 $2\frac{23}{30}\times 20$

27 $3\frac{21}{34}\times 17$

28 $3\frac{13}{36}\times 27$

맞힌 개수
개 /28개

나의 학습 결과에 ○표 하세요.

맞힌 개수	0~3개	4~14개	15~25개	26~28개
학습 방법	다시 한번 풀어 봐요.	계산 연습이 필요해요.	틀린 문제를 확인해요.	실수하지 않도록 집중해요.

QR 빠른 정답 확인

2. (대분수)×(자연수)

계산을 하여 기약분수로 나타내어 보세요.

1 $6\frac{3}{4}\times 6$

2 $7\frac{1}{6}\times 9$

3 $4\frac{6}{7}\times 4$

4 $1\frac{5}{8}\times 16$

5 $3\frac{9}{10}\times 20$

6 $1\frac{2}{11}\times 7$

7 $1\frac{5}{12}\times 8$

8 $2\frac{9}{14}\times 35$

9 $4\frac{2}{15}\times 2$

10 $1\frac{11}{16}\times 24$

11 $1\frac{4}{19}\times 21$

12 $4\frac{8}{21}\times 12$

13 $1\frac{1}{22}\times 7$

14 $2\frac{20}{23}\times 3$

15 $4\frac{7}{24}\times 18$

16 $1\frac{8}{25}\times 10$

17 $1\frac{16}{27}\times 5$

18 $1\frac{17}{28}\times 14$

19 $1\frac{29}{30}\times 45$

20 $2\frac{16}{35}\times 70$

21 $3\frac{17}{36}\times 27$

연산 in 문장제

승준이네 집 냉장고에는 망고주스가 $1\frac{4}{5}$ L씩 들어 있는 병이 3개 있습니다. 승준이네 집 냉장고에 있는 망고주스는 모두 몇 L인지 구해 보세요.

방법1 $1\frac{4}{5} \times 3 = \frac{9}{5} \times 3 = \frac{27}{5} = 5\frac{2}{5}$ (L)

($1\frac{4}{5}$: 한 병에 들어 있는 망고주스의 양, 3: 병 수, $5\frac{2}{5}$: 냉장고에 있는 망고주스의 양)

방법2 $1\frac{4}{5} \times 3 = (1\times3) + \left(\frac{4}{5}\times3\right) = 3 + \frac{12}{5} = 3 + 2\frac{2}{5} = 5\frac{2}{5}$ (L)

22 지아 어머니가 시장에서 무게가 $6\frac{5}{9}$ kg인 수박을 3통 사 오셨습니다. 지아 어머니가 사 오신 수박의 무게는 모두 몇 kg인지 구해 보세요.

답 ______

23 혜진이가 미술 시간에 길이가 $1\frac{7}{16}$ cm인 색 테이프 7도막을 겹치는 부분 없이 이어 붙였습니다. 이어 붙인 색 테이프의 전체 길이는 몇 cm인지 구해 보세요.

답 ______

24 진형이는 물을 하루에 $1\frac{13}{20}$ L씩 마셨습니다. 진형이가 6일 동안 마신 물은 모두 몇 L인지 구해 보세요.

답 ______

25 선물 상자 한 개를 포장하는 데 리본 $1\frac{23}{32}$ m가 필요합니다. 같은 크기의 선물 상자 8개를 포장하려면 필요한 리본은 모두 몇 m인지 구해 보세요.

답 ______

맞힌 개수

개 /25개

나의 학습 결과에 ○표 하세요.

맞힌 개수	0～3개	4～13개	14～22개	23～25개
학습 방법	다시 한번 풀어 봐요.	계산 연습이 필요해요.	틀린 문제를 확인해요.	실수하지 않도록 집중해요.

QR 빠른 정답 확인

3. (분수)×(자연수)

계산을 하여 기약분수로 나타내어 보세요.

1. $\frac{1}{2}\times5$
2. $\frac{2}{3}\times4$
3. $\frac{3}{4}\times14$
4. $\frac{5}{7}\times11$
5. $\frac{8}{9}\times6$
6. $\frac{7}{10}\times9$
7. $\frac{8}{11}\times33$
8. $\frac{11}{12}\times20$
9. $\frac{9}{14}\times13$
10. $\frac{4}{15}\times10$
11. $\frac{5}{16}\times56$
12. $\frac{12}{19}\times38$
13. $\frac{9}{20}\times50$
14. $\frac{2}{21}\times35$
15. $\frac{5}{24}\times42$
16. $\frac{18}{25}\times6$
17. $\frac{23}{26}\times39$
18. $\frac{10}{27}\times18$
19. $\frac{27}{28}\times42$
20. $\frac{5}{29}\times7$
21. $\frac{19}{30}\times75$
22. $\frac{7}{32}\times3$
23. $\frac{17}{36}\times48$
24. $\frac{8}{39}\times18$

25 $2\frac{2}{3}\times 8$

26 $1\frac{3}{5}\times 20$

27 $3\frac{5}{6}\times 9$

28 $1\frac{6}{7}\times 12$

29 $2\frac{1}{8}\times 36$

30 $2\frac{7}{9}\times 5$

31 $4\frac{3}{10}\times 40$

32 $1\frac{10}{13}\times 3$

33 $2\frac{11}{14}\times 14$

34 $1\frac{6}{17}\times 6$

35 $3\frac{1}{18}\times 24$

36 $1\frac{7}{20}\times 7$

37 $1\frac{13}{21}\times 28$

38 $3\frac{21}{22}\times 11$

39 $2\frac{6}{23}\times 23$

40 $2\frac{7}{26}\times 4$

41 $1\frac{4}{27}\times 45$

42 $2\frac{9}{28}\times 7$

43 $1\frac{1}{32}\times 48$

44 $1\frac{13}{34}\times 17$

45 $2\frac{32}{35}\times 2$

맞힌 개수

개 / 45개

나의 학습 결과에 ○표 하세요.

맞힌 개수	0~5개	6~23개	24~40개	41~45개
학습 방법	다시 한번 풀어 봐요.	계산 연습이 필요해요.	틀린 문제를 확인해요.	실수하지 않도록 집중해요.

QR 빠른 정답 확인

06 일차 4. (자연수)×(진분수)

방법1 자연수와 분자를 곱한 후 약분하여 계산하기

$$6\times\frac{3}{8}=\frac{6\times3}{8}=\frac{\overset{9}{\cancel{18}}}{\underset{4}{\cancel{8}}}=\frac{9}{4}=2\frac{1}{4}$$

방법2 자연수와 분자를 곱하기 전 약분하여 계산하기

$$6\times\frac{3}{8}=\frac{\overset{3}{\cancel{6}}\times3}{\underset{4}{\cancel{8}}}=\frac{9}{4}=2\frac{1}{4}$$

방법3 (자연수)×(진분수)의 식에서 자연수와 분모를 약분하여 계산하기

$$\overset{3}{\cancel{6}}\times\frac{3}{\underset{4}{\cancel{8}}}=\frac{9}{4}=2\frac{1}{4}$$

□ 안에 알맞은 수를 써넣으세요.

분수의 분모는 그대로 두고 자연수와 분자를 곱하여 계산해요.

1 $2\times\frac{3}{5}=\frac{\square\times3}{5}=\frac{\square}{5}=\square$

2 $8\times\frac{5}{6}=\frac{8\times5}{6}=\frac{\overset{\square}{\cancel{40}}}{\underset{3}{\cancel{6}}}=\frac{\square}{3}=\square$

3 $15\times\frac{3}{10}=\frac{\overset{\square}{\cancel{15}}\times3}{\underset{2}{\cancel{10}}}=\frac{\square}{2}=\square$

4 $\overset{\square}{\cancel{3}}\times\frac{11}{\underset{5}{\cancel{15}}}=\frac{\square}{5}=\square$

계산을 하여 기약분수로 나타내어 보세요.

5 $9\times\frac{1}{2}$

6 $8\times\frac{2}{3}$

7 $10\times\frac{3}{4}$

8 $4\times\frac{6}{7}$

9 $20\times\frac{5}{8}$

10 $15\times\frac{4}{9}$

11 $18\times\frac{5}{12}$

12 $4\times\frac{8}{13}$

13 $14\times\frac{13}{14}$

14 $3\times\frac{9}{17}$

15 $9\times\frac{13}{18}$

16 $15\times\frac{7}{20}$

17 $7\times\frac{17}{21}$

18 $8\times\frac{6}{23}$

19 $12\times\frac{13}{24}$

20 $25\times\frac{12}{25}$

21 $8\times\frac{13}{28}$

22 $7\times\frac{10}{29}$

23 $5\times\frac{8}{31}$

24 $24\times\frac{15}{32}$

25 $27\times\frac{7}{33}$

26 $51\times\frac{19}{34}$

27 $9\times\frac{13}{36}$

28 $6\times\frac{14}{37}$

29 $19\times\frac{21}{38}$

30 $5\times\frac{13}{40}$

31 $3\times\frac{16}{43}$

32 $33\times\frac{31}{44}$

맞힌 개수

개 /32개

나의 학습 결과에 ○표 하세요.

맞힌 개수	0~3개	4~16개	17~29개	30~32개
학습 방법	다시 한번 풀어 봐요.	계산 연습이 필요해요.	틀린 문제를 확인해요.	실수하지 않도록 집중해요.

QR 빠른 정답 확인

4. (자연수)×(진분수)

계산을 하여 기약분수로 나타내어 보세요.

1 $8\times\frac{3}{4}$

2 $9\times\frac{2}{5}$

3 $14\times\frac{5}{6}$

4 $12\times\frac{2}{9}$

5 $5\times\frac{10}{11}$

6 $28\times\frac{5}{14}$

7 $6\times\frac{6}{19}$

8 $30\times\frac{13}{20}$

9 $7\times\frac{9}{23}$

10 $40\times\frac{4}{25}$

11 $13\times\frac{17}{26}$

12 $18\times\frac{16}{27}$

13 $45\times\frac{11}{30}$

14 $22\times\frac{25}{33}$

15 $14\times\frac{12}{35}$

16 $16\times\frac{15}{38}$

17 $9\times\frac{7}{39}$

18 $6\times\frac{20}{41}$

19 $24\times\frac{5}{42}$

20 $8\times\frac{23}{48}$

21 $25\times\frac{39}{50}$

연산 in 문장제

귤 한 상자의 무게는 10 kg입니다. 그중 $\frac{5}{8}$를 먹었다면 먹은 귤의 무게는 몇 kg인지 구해 보세요.

방법1 $10 \times \frac{5}{8} = \frac{10 \times 5}{8} = \frac{\overset{25}{\cancel{50}}}{\underset{4}{\cancel{8}}} = \frac{25}{4} = 6\frac{1}{4}$ (kg)

- 10 ← 전체 귤의 무게
- $\frac{5}{8}$ ← 전체 귤의 무게에 대한 먹은 귤의 부분
- $6\frac{1}{4}$ ← 먹은 귤의 무게

방법2 $10 \times \frac{5}{8} = \frac{\overset{5}{\cancel{10}} \times 5}{\underset{4}{\cancel{8}}} = \frac{25}{4} = 6\frac{1}{4}$ (kg)

방법3 $\overset{5}{\cancel{10}} \times \frac{5}{\underset{4}{\cancel{8}}} = \frac{25}{4} = 6\frac{1}{4}$ (kg)

22 아윤이의 반려견의 몸무게는 9 kg이고, 반려묘의 몸무게는 반려견의 몸무게의 $\frac{11}{12}$입니다. 아윤이의 반려묘의 몸무게는 몇 kg인지 구해 보세요.

답 ______________

23 수민이는 방패연을 만드는 데 명주실 13 m 중에서 $\frac{4}{5}$를 사용했습니다. 방패연을 만드는 데 사용한 명주실은 몇 m인지 구해 보세요.

답 ______________

24 세훈이네 반 학생은 27명이고, 그중 $\frac{5}{9}$는 남학생입니다. 세훈이네 반 남학생은 몇 명인지 구해 보세요.

답 ______________

25 영지는 선물을 포장하는 데 넓이가 400 cm^2인 포장지 중에서 $\frac{11}{25}$을 사용했습니다. 선물을 포장하는 데 사용한 포장지의 넓이는 몇 cm^2인지 구해 보세요.

답 ______________

맞힌 개수

개 /25개

나의 학습 결과에 ○표 하세요.

맞힌 개수	0~3개	4~13개	14~22개	23~25개
학습 방법	다시 한번 풀어 봐요.	계산 연습이 필요해요.	틀린 문제를 확인해요.	실수하지 않도록 집중해요.

QR 빠른 정답 확인

08일차 5. (자연수)×(대분수)

방법1 대분수를 가분수로 바꾸어 계산하기

$$2\times2\frac{1}{3}=2\times\frac{7}{3}=\frac{14}{3}=4\frac{2}{3}$$

대분수를 가분수로 바꾸어요.

방법2 대분수를 자연수 부분과 진분수 부분으로 나누어 계산하기

$$2\times2\frac{1}{3}=(2\times2)+\left(2\times\frac{1}{3}\right)$$
$$=4+\frac{2}{3}=4\frac{2}{3}$$

□ 안에 알맞은 수를 써넣으세요.

1 $3\times1\frac{1}{2}=3\times\frac{\square}{2}=\frac{\square}{2}=\square$

대분수는 가분수로 바꾸어요.

2 $6\times1\frac{3}{4}=\overset{\square}{\cancel{6}}\times\frac{\square}{\underset{2}{\cancel{4}}}=\frac{\square}{2}=\square$

3 $3\times4\frac{2}{7}=(3\times\square)+\left(3\times\frac{\square}{7}\right)$

$=\square+\frac{\square}{7}=\square$

대분수를 자연수 부분과 진분수 부분으로 나누어 계산해요.

4 $6\times1\frac{11}{12}=(6\times\square)+\left(\overset{\square}{\cancel{6}}\times\frac{\square}{\underset{2}{\cancel{12}}}\right)$

$=\square+\frac{\square}{2}=\square+\square\frac{\square}{2}=\square$

계산을 하여 기약분수로 나타내어 보세요.

5 $5\times3\frac{1}{2}$

6 $8\times4\frac{3}{4}$

7 $3\times2\frac{4}{5}$

8 $9\times1\frac{5}{6}$

9 $10\times2\frac{7}{8}$

10 $18\times1\frac{8}{9}$

11 $5\times2\frac{3}{10}$

12 $2\times3\frac{8}{11}$

13 $18\times3\frac{1}{12}$

14 $28\times2\frac{5}{14}$

15 $4\times1\frac{9}{16}$

16 $3\times2\frac{8}{17}$

17 $6\times3\frac{11}{18}$

18 $5\times1\frac{14}{19}$

19 $30\times1\frac{9}{20}$

20 $4\times2\frac{14}{23}$

21 $12\times3\frac{17}{24}$

22 $10\times4\frac{6}{25}$

23 $8\times1\frac{17}{26}$

24 $18\times2\frac{4}{27}$

25 $15\times3\frac{7}{30}$

26 $9\times2\frac{12}{31}$

27 $40\times1\frac{17}{32}$

28 $3\times1\frac{5}{34}$

29 $14\times3\frac{19}{35}$

30 $7\times1\frac{1}{36}$

31 $6\times2\frac{23}{38}$

32 $13\times3\frac{8}{39}$

맞힌 개수

개 /32개

나의 학습 결과에 ○표 하세요.

맞힌 개수	0~3개	4~16개	17~29개	30~32개
학습 방법	다시 한번 풀어 봐요.	계산 연습이 필요해요.	틀린 문제를 확인해요.	실수하지 않도록 집중해요.

QR 빠른 정답 확인

09 일차 5. (자연수)×(대분수)

계산을 하여 기약분수로 나타내어 보세요.

1 $4\times4\frac{1}{3}$

2 $6\times3\frac{3}{4}$

3 $5\times4\frac{4}{7}$

4 $15\times3\frac{4}{9}$

5 $8\times1\frac{8}{13}$

6 $21\times3\frac{9}{14}$

7 $30\times2\frac{13}{15}$

8 $3\times2\frac{10}{19}$

9 $5\times3\frac{16}{21}$

10 $10\times1\frac{15}{22}$

11 $18\times2\frac{5}{24}$

12 $9\times1\frac{2}{27}$

13 $14\times1\frac{19}{28}$

14 $40\times2\frac{11}{30}$

15 $22\times3\frac{4}{33}$

16 $3\times1\frac{19}{34}$

17 $20\times3\frac{2}{35}$

18 $8\times2\frac{16}{37}$

19 $12\times1\frac{3}{44}$

20 $23\times1\frac{17}{46}$

21 $7\times1\frac{6}{49}$

연산 in 문장제

1분에 4 km를 가는 열차가 있습니다. 이 열차가 $4\frac{4}{5}$ 시간 동안 갈 수 있는 거리는 모두 몇 km인지 구해 보세요.

방법1 $4 \times 4\frac{4}{5} = 4 \times \frac{24}{5} = \frac{4\times 24}{5} = \frac{96}{5} = 19\frac{1}{5}$ (km)

열차가 1분 동안 가는 거리 / 열차가 가는 시간 / 열차가 갈 수 있는 거리

방법2 $4 \times 4\frac{4}{5} = (4\times 4) + \left(4\times\frac{4}{5}\right) = 16 + \frac{16}{5} = 16 + 3\frac{1}{5} = 19\frac{1}{5}$ (km)

22 밑변의 길이가 5 m이고, 높이가 $3\frac{5}{8}$ m인 평행사변형 모양의 꽃밭이 있습니다. 이 꽃밭의 넓이는 몇 m^2인지 구해 보세요.

답 ____________

23 체육 시간에 윗몸 일으키기를 태민이는 33번 했고, 영지는 태민이가 한 횟수의 $1\frac{6}{11}$배 했습니다. 영지의 윗몸 일으키기 횟수는 몇 번인지 구해 보세요.

답 ____________

24 연주가 필통에 있는 지우개와 연필의 길이를 각각 쟀습니다. 지우개의 길이는 4 cm이고, 연필의 길이는 지우개의 길이의 $4\frac{3}{20}$배라면 연필의 길이는 몇 cm인지 구해 보세요.

답 ____________

25 준환이네 집에서 학교까지의 거리는 600 m이고, 준환이네 집에서 도서관까지의 거리는 학교까지의 거리의 $1\frac{1}{6}$배입니다. 준환이네 집에서 도서관까지의 거리는 몇 m인지 구해 보세요.

답 

맞힌 개수

개 /25개

나의 학습 결과에 ○표 하세요.

맞힌 개수	0~3개	4~13개	14~22개	23~25개
학습 방법	다시 한번 풀어 봐요.	계산 연습이 필요해요.	틀린 문제를 확인해요.	실수하지 않도록 집중해요.

QR 빠른정답 확인

6. (자연수)×(분수)

계산을 하여 기약분수로 나타내어 보세요.

1 $7\times\frac{1}{3}$

2 $9\times\frac{4}{5}$

3 $8\times\frac{5}{7}$

4 $12\times\frac{7}{8}$

5 $40\times\frac{9}{10}$

6 $14\times\frac{7}{12}$

7 $30\times\frac{8}{15}$

8 $24\times\frac{13}{16}$

9 $12\times\frac{10}{21}$

10 $9\times\frac{15}{22}$

11 $7\times\frac{7}{24}$

12 $36\times\frac{11}{27}$

13 $21\times\frac{5}{28}$

14 $29\times\frac{16}{29}$

15 $4\times\frac{14}{31}$

16 $16\times\frac{9}{32}$

17 $6\times\frac{13}{36}$

18 $5\times\frac{18}{37}$

19 $30\times\frac{21}{40}$

20 $25\times\frac{19}{45}$

21 $16\times\frac{11}{46}$

22 $3\times\frac{12}{47}$

23 $12\times\frac{17}{48}$

24 $56\times\frac{6}{49}$

25 $11 \times 4\frac{1}{2}$

26 $6 \times 3\frac{3}{5}$

27 $24 \times 2\frac{5}{6}$

28 $7 \times 1\frac{2}{9}$

29 $20 \times 3\frac{7}{10}$

30 $4 \times 1\frac{4}{11}$

31 $14 \times 3\frac{7}{12}$

32 $9 \times 2\frac{11}{15}$

33 $5 \times 1\frac{7}{18}$

34 $8 \times 3\frac{9}{20}$

35 $55 \times 1\frac{3}{22}$

36 $30 \times 2\frac{21}{25}$

37 $39 \times 2\frac{3}{26}$

38 $18 \times 2\frac{8}{27}$

39 $4 \times 1\frac{8}{29}$

40 $2 \times 4\frac{6}{31}$

41 $17 \times 2\frac{15}{34}$

42 $3 \times 3\frac{7}{38}$

43 $15 \times 1\frac{14}{39}$

44 $35 \times 2\frac{1}{42}$

45 $32 \times 1\frac{25}{48}$

맞힌 개수

개 / 45개

나의 학습 결과에 ○표 하세요.

맞힌 개수	0~5개	6~23개	24~40개	41~45개
학습 방법	다시 한번 풀어 봐요.	계산 연습이 필요해요.	틀린 문제를 확인해요.	실수하지 않도록 집중해요.

QR 빠른 정답 확인

11일차 7. (단위분수)×(단위분수)

$$\frac{1}{5}\times\frac{1}{9}=\frac{1}{5\times9}=\frac{1}{45}$$

분자는 그대로 1로 두고 분모끼리 곱해요.

● □ 안에 알맞은 수를 써넣으세요.

1 $\frac{1}{2}\times\frac{1}{3}=\frac{1}{2\times\square}=\frac{1}{\square}$

2 $\frac{1}{4}\times\frac{1}{7}=\frac{1}{4\times\square}=\frac{1}{\square}$

3 $\frac{1}{6}\times\frac{1}{5}=\frac{1}{6\times\square}=\frac{1}{\square}$

4 $\frac{1}{8}\times\frac{1}{8}=\frac{1}{8\times\square}=\frac{1}{\square}$

● 계산을 하여 기약분수로 나타내어 보세요.

5 $\frac{1}{3}\times\frac{1}{5}$

6 $\frac{1}{7}\times\frac{1}{3}$

7 $\frac{1}{9}\times\frac{1}{9}$

8 $\frac{1}{10}\times\frac{1}{6}$

9 $\frac{1}{11}\times\frac{1}{8}$

10 $\frac{1}{12}\times\frac{1}{7}$

11 $\frac{1}{13}\times\frac{1}{3}$

12 $\frac{1}{14}\times\frac{1}{7}$

13 $\frac{1}{15}\times\frac{1}{6}$

14 $\frac{1}{16}\times\frac{1}{4}$

15 $\frac{1}{17}\times\frac{1}{5}$

16 $\frac{1}{18}\times\frac{1}{4}$

17 $\frac{1}{19}\times\frac{1}{2}$

18 $\frac{1}{20}\times\frac{1}{3}$

연산 in 문장제

길이가 $\frac{1}{2}$m인 끈의 $\frac{1}{10}$을 사용하여 리본을 만들었습니다. 리본을 만드는 데 사용한 끈의 길이는 몇 m인지 구해 보세요.

$$\frac{1}{2} \times \frac{1}{10} = \frac{1}{2 \times 10} = \frac{1}{20}\,(\mathrm{m})$$

전체 끈의 길이 / 전체 끈의 길이에 대한 사용한 끈의 부분 / 사용한 끈의 길이

19 수지의 메모장은 가로가 $\frac{1}{8}$m이고, 세로가 $\frac{1}{10}$m인 직사각형 모양입니다. 수지의 메모장의 넓이는 몇 m^2인지 구해 보세요.

답 ____________

20 호균이가 소고기 $\frac{1}{2}$kg 중에서 $\frac{1}{5}$을 먹었습니다. 호균이가 먹은 소고기는 몇 kg인지 구해 보세요.

답 ____________

21 규현이가 가지고 있는 사탕 중에서 $\frac{1}{9}$은 막대 사탕이고, 그중 $\frac{1}{3}$은 딸기 맛 막대 사탕입니다. 규현이가 가지고 있는 딸기 맛 막대 사탕은 전체 사탕의 얼마인지 구해 보세요.

답 ____________

22 태호네 학교 전체 학생의 $\frac{1}{15}$은 안경을 썼고, 그중 $\frac{1}{4}$은 여학생입니다. 안경을 쓴 여학생은 전체 학생의 얼마인지 구해 보세요.

답 ____________

맞힌 개수: 개 /22개

나의 학습 결과에 ○표 하세요.

맞힌 개수	0~2개	3~11개	12~20개	21~22개
학습 방법	다시 한번 풀어 봐요.	계산 연습이 필요해요.	틀린 문제를 확인해요.	실수하지 않도록 집중해요.

QR 빠른 정답 확인

12 일차 8. (단위분수)×(진분수), (진분수)×(단위분수)

방법1 분자는 분자끼리, 분모는 분모끼리 곱한 후 약분하여 계산하기

$$\frac{1}{6}\times\frac{4}{5}=\frac{1\times4}{6\times5}=\frac{\overset{2}{\cancel{4}}}{\underset{15}{\cancel{30}}}=\frac{2}{15}$$

$$\frac{6}{7}\times\frac{1}{9}=\frac{6\times1}{7\times9}=\frac{\overset{2}{\cancel{6}}}{\underset{21}{\cancel{63}}}=\frac{2}{21}$$

방법2 분자는 분자끼리, 분모는 분모끼리 곱하기 전 약분하여 계산하기

$$\frac{1}{6}\times\frac{4}{5}=\frac{1\times\overset{2}{\cancel{4}}}{\underset{3}{\cancel{6}}\times5}=\frac{2}{15}$$

$$\frac{6}{7}\times\frac{1}{9}=\frac{\overset{2}{\cancel{6}}\times1}{7\times\underset{3}{\cancel{9}}}=\frac{2}{21}$$

방법3 (단위분수)×(진분수) 또는 (진분수)×(단위분수)의 식에서 분자와 분모를 약분하여 계산하기

$$\frac{1}{\underset{3}{\cancel{6}}}\times\frac{\overset{2}{\cancel{4}}}{5}=\frac{2}{15}$$

$$\frac{\overset{2}{\cancel{6}}}{7}\times\frac{1}{\underset{3}{\cancel{9}}}=\frac{2}{21}$$

□ 안에 알맞은 수를 써넣으세요.

1. $\frac{1}{2}\times\frac{7}{9}=\frac{1\times\square}{\square\times9}=\frac{\square}{\square}$

2. $\frac{1}{5}\times\frac{15}{16}=\frac{1\times15}{5\times16}=\frac{\overset{\square}{\cancel{15}}}{\underset{16}{\cancel{80}}}=\frac{\square}{16}$

3. $\frac{1}{6}\times\frac{12}{19}=\frac{1\times\overset{\square}{\cancel{12}}}{\underset{1}{\cancel{6}}\times19}=\frac{\square}{19}$

4. $\frac{1}{\underset{2}{\cancel{14}}}\times\frac{\overset{\square}{\cancel{7}}}{15}=\frac{\square}{30}$

5. $\frac{5}{6}\times\frac{1}{4}=\frac{\square\times1}{6\times\square}=\frac{\square}{\square}$

6. $\frac{2}{9}\times\frac{1}{8}=\frac{2\times1}{9\times8}=\frac{\overset{\square}{\cancel{2}}}{\underset{36}{\cancel{72}}}=\frac{\square}{36}$

7. $\frac{9}{10}\times\frac{1}{21}=\frac{\overset{\square}{\cancel{9}}\times1}{10\times\underset{7}{\cancel{21}}}=\frac{\square}{70}$

8. $\frac{\overset{\square}{\cancel{10}}}{13}\times\frac{1}{\underset{3}{\cancel{15}}}=\frac{\square}{39}$

계산을 하여 기약분수로 나타내어 보세요.

9 $\frac{1}{3} \times \frac{2}{7}$

10 $\frac{1}{4} \times \frac{8}{9}$

11 $\frac{1}{7} \times \frac{14}{29}$

12 $\frac{1}{8} \times \frac{3}{8}$

13 $\frac{1}{11} \times \frac{5}{8}$

14 $\frac{1}{12} \times \frac{24}{35}$

15 $\frac{1}{18} \times \frac{27}{31}$

16 $\frac{1}{21} \times \frac{6}{7}$

17 $\frac{1}{22} \times \frac{11}{12}$

18 $\frac{1}{23} \times \frac{46}{53}$

19 $\frac{1}{27} \times \frac{18}{25}$

20 $\frac{2}{5} \times \frac{1}{5}$

21 $\frac{6}{7} \times \frac{1}{7}$

22 $\frac{4}{9} \times \frac{1}{10}$

23 $\frac{5}{12} \times \frac{1}{20}$

24 $\frac{9}{14} \times \frac{1}{4}$

25 $\frac{8}{15} \times \frac{1}{24}$

26 $\frac{7}{20} \times \frac{1}{14}$

27 $\frac{13}{24} \times \frac{1}{39}$

28 $\frac{30}{31} \times \frac{1}{45}$

29 $\frac{40}{43} \times \frac{1}{16}$

맞힌 개수

개 /29개

나의 학습 결과에 ○표 하세요.

맞힌 개수	0～3개	4～15개	16～26개	27～29개
학습 방법	다시 한번 풀어 봐요.	계산 연습이 필요해요.	틀린 문제를 확인해요.	실수하지 않도록 집중해요.

QR 빠른 정답 확인

8. (단위분수) × (진분수), (진분수) × (단위분수)

계산을 하여 기약분수로 나타내어 보세요.

1 $\frac{1}{5}\times\frac{2}{9}$

2 $\frac{1}{8}\times\frac{16}{17}$

3 $\frac{1}{9}\times\frac{21}{26}$

4 $\frac{1}{10}\times\frac{25}{28}$

5 $\frac{1}{14}\times\frac{3}{5}$

6 $\frac{1}{16}\times\frac{10}{11}$

7 $\frac{1}{17}\times\frac{34}{37}$

8 $\frac{1}{20}\times\frac{30}{41}$

9 $\frac{1}{26}\times\frac{39}{40}$

10 $\frac{1}{28}\times\frac{4}{5}$

11 $\frac{1}{29}\times\frac{2}{3}$

12 $\frac{3}{4}\times\frac{1}{4}$

13 $\frac{5}{6}\times\frac{1}{5}$

14 $\frac{4}{9}\times\frac{1}{7}$

15 $\frac{9}{11}\times\frac{1}{27}$

16 $\frac{4}{17}\times\frac{1}{16}$

17 $\frac{11}{19}\times\frac{1}{33}$

18 $\frac{17}{21}\times\frac{1}{3}$

19 $\frac{8}{27}\times\frac{1}{6}$

20 $\frac{24}{31}\times\frac{1}{36}$

21 $\frac{35}{36}\times\frac{1}{14}$

연산 in 문장제

넓이가 $\frac{5}{8}m^2$인 종이의 $\frac{1}{10}$에 파란색 물감을 칠했습니다. 파란색 물감을 칠한 부분의 넓이는 몇 m^2인지 구해 보세요.

방법1 $\frac{5}{8} \times \frac{1}{10} = \frac{5 \times 1}{8 \times 10} = \frac{\overset{1}{\cancel{5}}}{\underset{16}{\cancel{80}}} = \frac{1}{16}(m^2)$

- $\frac{5}{8}$ ← 전체 종이의 넓이
- $\frac{1}{10}$ ← 전체 종이에 대한 파란색 물감을 칠한 부분
- $\frac{1}{16}$ ← 파란색 물감을 칠한 부분의 넓이

방법2 $\frac{5}{8} \times \frac{1}{10} = \frac{\overset{1}{\cancel{5}} \times 1}{8 \times \underset{2}{\cancel{10}}} = \frac{1}{16}(m^2)$

방법3 $\frac{\overset{1}{\cancel{5}}}{8} \times \frac{1}{\underset{2}{\cancel{10}}} = \frac{1}{16}(m^2)$

22 진수네 반 게시판의 가로는 $\frac{1}{2}$m이고, 세로는 $\frac{4}{5}$m입니다. 진수네 반 게시판의 넓이는 몇 m^2인지 구해 보세요.

답 ____________

23 준혁이네 집 냉장고에 오렌지주스가 $\frac{1}{4}$L 들어 있습니다. 준혁이가 오렌지주스의 $\frac{12}{25}$를 마셨다면 준혁이가 마신 오렌지주스는 몇 L인지 구해 보세요.

답 ____________

24 소희는 장갑을 만드는 데 전체 털실의 $\frac{2}{3}$ 중에서 $\frac{1}{9}$을 사용했습니다. 소희가 사용한 털실은 전체 털실의 얼마인지 구해 보세요.

답 ____________

25 채윤이네 가족은 전체 텃밭의 $\frac{8}{11}$에 채소를 심었고, 심은 채소 중에서 $\frac{1}{12}$은 상추입니다. 채윤이네 가족이 심은 상추는 전체 텃밭의 얼마인지 구해 보세요.

답 ____________

맞힌 개수

개 /25개

나의 학습 결과에 ○표 하세요.

맞힌 개수	0~3개	4~13개	14~22개	23~25개
학습 방법	다시 한번 풀어 봐요.	계산 연습이 필요해요.	틀린 문제를 확인해요.	실수하지 않도록 집중해요.

QR 빠른 정답 확인

연산&문장제 마무리

● 계산을 하여 기약분수로 나타내어 보세요.

1 $\frac{3}{8}\times 28$

2 $\frac{10}{13}\times 6$

3 $\frac{1}{16}\times 9$

4 $\frac{8}{21}\times 14$

5 $\frac{17}{25}\times 10$

6 $\frac{23}{38}\times 19$

7 $\frac{31}{45}\times 27$

8 $2\frac{1}{3}\times 7$

9 $3\frac{4}{5}\times 2$

10 $2\frac{3}{14}\times 4$

11 $1\frac{5}{18}\times 24$

12 $2\frac{7}{24}\times 8$

13 $1\frac{18}{29}\times 3$

14 $1\frac{11}{36}\times 9$

15 $11\times\frac{1}{2}$

16 $7\times\frac{7}{9}$

17 $39\times\frac{12}{13}$

18 $15\times\frac{5}{18}$

19 $6\times\frac{9}{26}$

20 $14\times\frac{27}{35}$

21 $30\times\frac{29}{48}$

22 $4 \times 2\frac{5}{7}$

23 $12 \times 3\frac{3}{8}$

24 $5 \times 1\frac{6}{13}$

25 $3 \times 1\frac{12}{17}$

26 $9 \times 3\frac{4}{21}$

27 $35 \times 1\frac{23}{28}$

28 $24 \times 2\frac{3}{32}$

29 $15 \times 1\frac{14}{45}$

30 $\frac{1}{3} \times \frac{1}{6}$

31 $\frac{1}{5} \times \frac{1}{5}$

32 $\frac{1}{7} \times \frac{1}{10}$

33 $\frac{1}{8} \times \frac{1}{6}$

34 $\frac{1}{10} \times \frac{1}{9}$

35 $\frac{1}{13} \times \frac{1}{4}$

36 $\frac{1}{15} \times \frac{1}{5}$

37 $\frac{1}{17} \times \frac{1}{3}$

38 $\frac{1}{2} \times \frac{7}{10}$

39 $\frac{1}{9} \times \frac{6}{25}$

40 $\frac{1}{14} \times \frac{21}{26}$

41 $\frac{1}{25} \times \frac{5}{12}$

42 $\frac{3}{8} \times \frac{1}{10}$

43 $\frac{12}{17} \times \frac{1}{36}$

44 $\frac{11}{24} \times \frac{1}{4}$

45 $\frac{27}{32} \times \frac{1}{18}$

46 빵 한 개를 만드는 데 밀가루 $\frac{5}{9}$ kg이 필요합니다. 빵 30개를 만드는 데 필요한 밀가루는 모두 몇 kg인지 구해 보세요.

답 ____________

47 민지는 미술 시간에 사용하려고 길이가 $1\frac{3}{10}$ m인 종이테이프 6개를 준비했습니다. 민지가 준비한 종이테이프는 모두 몇 m인지 구해 보세요.

답 ____________

48 희주네 가족은 일주일 동안 물 24 L 중에서 $\frac{7}{12}$을 마셨습니다. 희주네 가족이 일주일 동안 마신 물은 몇 L인지 구해 보세요.

답 ____________

49 혜진이의 키는 148 cm이고, 혜진이 아버지의 키는 혜진이의 키의 $1\frac{1}{4}$배입니다. 혜진이 아버지의 키는 몇 cm인지 구해 보세요.

답 ____________

50 어제까지 다희가 읽고 남은 동화책은 전체 쪽수의 $\frac{1}{8}$입니다. 오늘은 어제까지 읽고 남은 동화책의 $\frac{2}{3}$를 읽었다면 오늘 읽은 동화책은 전체 쪽수의 얼마인지 구해 보세요.

답 ____________

51 미주는 설탕 $\frac{17}{20}$ kg의 $\frac{1}{2}$을 사용하여 쿠키를 만들었습니다. 미주가 쿠키를 만드는 데 사용한 설탕은 몇 kg인지 구해 보세요.

답 ____________

연산 노트

맞힌 개수

개 /51개

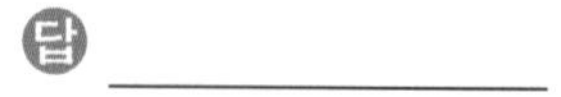

맞힌 개수	0~5개	6~26개	27~46개	47~51개
학습 방법	다시 한번 풀어 봐요.	계산 연습이 필요해요.	틀린 문제를 확인해요.	실수하지 않도록 집중해요.

QR 빠른 정답 확인

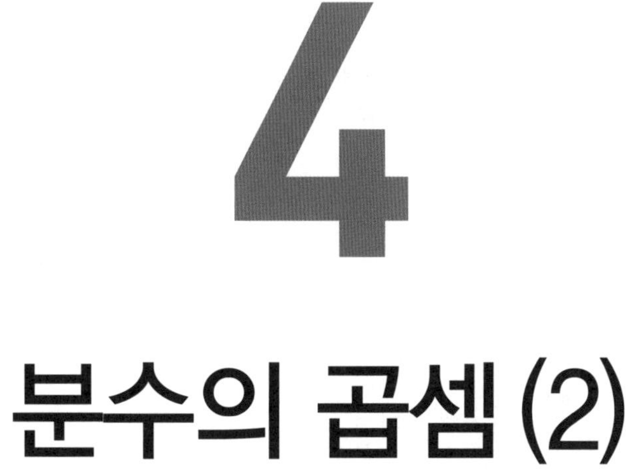

4 분수의 곱셈 (2)

학습 주제	학습 일차	맞힌 개수
1. (진분수)×(진분수)	01일차	/29
	02일차	/25
2. (진분수)×(대분수), (대분수)×(진분수)	03일차	/26
	04일차	/25
3. (대분수)×(대분수)	05일차	/25
	06일차	/24
4. (분수)×(분수)	07일차	/45
5. 세 분수의 곱셈 (1)	08일차	/31
	09일차	/24
6. 세 분수의 곱셈 (2)	10일차	/33
	11일차	/24
연산 & 문장제 마무리	12일차	/50

01 일차 1. (진분수)×(진분수)

방법1 분자는 분자끼리, 분모는 분모끼리 곱한 후 약분하여 계산하기

$$\frac{4}{7}\times\frac{5}{6}=\frac{4\times5}{7\times6}=\frac{\overset{10}{\cancel{20}}}{\underset{21}{\cancel{42}}}=\frac{10}{21}$$

방법2 분자는 분자끼리, 분모는 분모끼리 곱하기 전 약분하여 계산하기

$$\frac{4}{7}\times\frac{5}{6}=\frac{\overset{2}{\cancel{4}}\times5}{7\times\underset{3}{\cancel{6}}}=\frac{10}{21}$$

방법3 (진분수) × (진분수)의 식에서 분자와 분모를 약분하여 계산하기

$$\frac{\overset{2}{\cancel{4}}}{7}\times\frac{5}{\underset{3}{\cancel{6}}}=\frac{10}{21}$$

□ 안에 알맞은 수를 써넣으세요.

1 $\frac{1}{2}\times\frac{3}{10}=\frac{1\times\square}{2\times\square}=\frac{\square}{\square}$

2 $\frac{2}{3}\times\frac{4}{5}=\frac{2\times\square}{3\times\square}=\frac{\square}{\square}$

3 $\frac{3}{4}\times\frac{7}{12}=\frac{\square\times\square}{4\times12}=\frac{\overset{\square}{\cancel{21}}}{\underset{16}{\cancel{48}}}=\frac{\square}{16}$

4 $\frac{3}{7}\times\frac{4}{9}=\frac{\overset{\square}{\cancel{3}}\times4}{7\times\underset{3}{\cancel{9}}}=\frac{\square}{21}$

5 $\frac{5}{8}\times\frac{6}{11}=\frac{5\times\overset{\square}{\cancel{6}}}{\underset{4}{\cancel{8}}\times11}=\frac{\square}{44}$

6 $\frac{9}{10}\times\frac{5}{12}=\frac{\overset{\square}{\cancel{9}}\times\overset{\square}{\cancel{5}}}{\underset{2}{\cancel{10}}\times\underset{4}{\cancel{12}}}=\frac{\square}{8}$

7 $\frac{7}{\underset{2}{\cancel{16}}}\times\frac{\overset{\square}{\cancel{8}}}{15}=\frac{\square}{30}$

8 $\frac{\overset{\square}{\cancel{5}}}{\underset{4}{\cancel{36}}}\times\frac{\overset{\square}{\cancel{9}}}{\underset{5}{\cancel{25}}}=\frac{\square}{20}$

계산을 하여 기약분수로 나타내어 보세요.

9 $\frac{2}{3}\times\frac{1}{2}$

10 $\frac{4}{5}\times\frac{2}{5}$

11 $\frac{1}{6}\times\frac{7}{8}$

12 $\frac{6}{7}\times\frac{5}{14}$

13 $\frac{3}{8}\times\frac{1}{5}$

14 $\frac{5}{9}\times\frac{18}{23}$

15 $\frac{7}{10}\times\frac{30}{41}$

16 $\frac{3}{11}\times\frac{2}{5}$

17 $\frac{8}{13}\times\frac{5}{7}$

18 $\frac{9}{14}\times\frac{7}{11}$

19 $\frac{15}{16}\times\frac{2}{9}$

20 $\frac{7}{18}\times\frac{11}{21}$

21 $\frac{13}{20}\times\frac{5}{26}$

22 $\frac{4}{21}\times\frac{9}{16}$

23 $\frac{21}{22}\times\frac{11}{15}$

24 $\frac{18}{25}\times\frac{10}{27}$

25 $\frac{9}{28}\times\frac{7}{15}$

26 $\frac{35}{36}\times\frac{16}{21}$

27 $\frac{25}{38}\times\frac{19}{30}$

28 $\frac{27}{40}\times\frac{20}{81}$

29 $\frac{42}{55}\times\frac{25}{56}$

맞힌 개수

개 /29개

나의 학습 결과에 ○표 하세요.

맞힌 개수	0～3개	4～15개	16～26개	27～29개
학습 방법	다시 한번 풀어 봐요.	계산 연습이 필요해요.	틀린 문제를 확인해요.	실수하지 않도록 집중해요.

QR 빠른 정답 확인

1. (진분수)×(진분수)

계산을 하여 기약분수로 나타내어 보세요.

1 $\frac{2}{3}\times\frac{4}{7}$

2 $\frac{3}{4}\times\frac{8}{11}$

3 $\frac{4}{5}\times\frac{5}{9}$

4 $\frac{1}{7}\times\frac{2}{5}$

5 $\frac{3}{8}\times\frac{5}{8}$

6 $\frac{2}{9}\times\frac{3}{10}$

7 $\frac{9}{10}\times\frac{16}{27}$

8 $\frac{7}{11}\times\frac{5}{6}$

9 $\frac{9}{14}\times\frac{7}{24}$

10 $\frac{14}{15}\times\frac{1}{2}$

11 $\frac{12}{17}\times\frac{7}{20}$

12 $\frac{17}{18}\times\frac{6}{17}$

13 $\frac{20}{21}\times\frac{18}{35}$

14 $\frac{13}{23}\times\frac{2}{39}$

15 $\frac{1}{25}\times\frac{3}{5}$

16 $\frac{21}{26}\times\frac{13}{28}$

17 $\frac{15}{32}\times\frac{8}{9}$

18 $\frac{24}{35}\times\frac{14}{27}$

19 $\frac{21}{40}\times\frac{25}{36}$

20 $\frac{38}{45}\times\frac{10}{19}$

21 $\frac{35}{48}\times\frac{27}{56}$

연산 in 문장제

길이가 $\frac{5}{6}$ m인 끈의 $\frac{3}{14}$을 사용했습니다. 사용한 끈의 길이는 몇 m인지 구해 보세요.

방법1 $\frac{5}{6} \times \frac{3}{14} = \frac{5 \times 3}{6 \times 14} = \frac{\cancel{15}^{5}}{\cancel{84}_{28}} = \frac{5}{28}$ (m)

- $\frac{5}{6}$ ← 전체 끈의 길이
- $\frac{3}{14}$ ← 전체 끈의 길이에 대한 사용한 끈의 부분
- $\frac{5}{28}$ ← 사용한 끈의 길이

방법2 $\frac{5}{6} \times \frac{3}{14} = \frac{5 \times \cancel{3}^{1}}{\cancel{6}_{2} \times 14} = \frac{5}{28}$ (m)

방법3 $\frac{5}{\cancel{6}_{2}} \times \frac{\cancel{3}^{1}}{14} = \frac{5}{28}$ (m)

22 어느 어린이 도서관에 있는 전체 책의 $\frac{7}{8}$은 아동 도서이고, 그중 $\frac{2}{7}$는 동화책입니다. 동화책은 어린이 도서관에 있는 전체 책의 얼마인지 구해 보세요.

답 ______________

23 민주는 길이가 $\frac{4}{9}$ km인 공원 산책로의 $\frac{5}{12}$를 걸었습니다. 민주가 걸은 거리는 몇 km인지 구해 보세요.

답 ______________

24 윤후네 반 전체 학생의 $\frac{6}{11}$은 남학생이고, 그중 $\frac{2}{3}$는 축구를 좋아합니다. 축구를 좋아하는 남학생은 윤후네 반 전체 학생의 얼마인지 구해 보세요.

답 ______________

25 빵을 만드는 데 밀가루 $\frac{15}{26}$ kg의 $\frac{13}{27}$을 사용했습니다. 사용한 밀가루는 몇 kg인지 구해 보세요.

답 ______________

맞힌 개수
개 /25개

나의 학습 결과에 ○표 하세요.

맞힌 개수	0~3개	4~13개	14~22개	23~25개
학습 방법	다시 한번 풀어 봐요.	계산 연습이 필요해요.	틀린 문제를 확인해요.	실수하지 않도록 집중해요.

QR 빠른 정답 확인

03 일차 2. (진분수)×(대분수), (대분수)×(진분수)

방법1 대분수를 가분수로 바꾸어 계산하기

$$\frac{5}{6}\times3\frac{3}{7}=\frac{5}{\cancel{6}_{1}}\times\frac{\cancel{24}^{4}}{7}=\frac{20}{7}=2\frac{6}{7}$$

대분수를 가분수로 바꾸어요.

방법2 대분수를 자연수 부분과 진분수 부분으로 나누어 계산하기

$$\frac{5}{6}\times3\frac{3}{7}=\left(\frac{5}{\cancel{6}_{2}}\times\cancel{3}^{1}\right)+\left(\frac{5}{\cancel{6}_{2}}\times\frac{\cancel{3}^{1}}{7}\right)$$

$$=\frac{5}{2}+\frac{5}{14}=\frac{35}{14}+\frac{5}{14}=\frac{\cancel{40}^{20}}{\cancel{14}_{7}}=\frac{20}{7}=2\frac{6}{7}$$

↑ 통분

(진분수)×(대분수), (대분수)×(진분수)는 대분수를 가분수로 바꾸거나 자연수 부분과 진분수 부분으로 나누어 계산해요.

□ 안에 알맞은 수를 써넣으세요.

1 $\frac{1}{3}\times1\frac{1}{2}=\frac{1}{\cancel{3}_{1}}\times\frac{\cancel{3}^{\square}}{\square}=\frac{\square}{\square}$

2 $1\frac{4}{5}\times\frac{15}{16}=\frac{\square}{\cancel{5}_{1}}\times\frac{\cancel{15}^{\square}}{\square}$

$=\frac{\square}{16}=\square$

3 $\frac{8}{9}\times2\frac{1}{8}=\frac{\cancel{8}^{\square}}{9}\times\frac{\square}{\cancel{8}_{1}}=\frac{\square}{9}$

$=\square$

4 $\frac{3}{8}\times3\frac{2}{5}=\left(\frac{3}{8}\times\square\right)+\left(\frac{3}{\cancel{8}_{4}}\times\frac{\cancel{2}^{\square}}{\square}\right)$

$=\frac{\square}{8}+\frac{\square}{20}=\frac{\square}{40}+\frac{\square}{40}$

$=\frac{\square}{40}=\square$

5 $1\frac{4}{9}\times\frac{3}{10}=\left(\square\times\frac{3}{10}\right)+\left(\frac{\cancel{4}^{\square}}{\cancel{9}_{3}}\times\frac{\cancel{3}^{\square}}{\cancel{10}_{5}}\right)$

$=\frac{\square}{10}+\frac{\square}{15}=\frac{\square}{30}+\frac{\square}{30}$

$=\frac{\square}{30}$

계산을 하여 기약분수로 나타내어 보세요.

6 $\frac{2}{3}\times1\frac{2}{5}$

7 $\frac{3}{5}\times2\frac{1}{4}$

8 $\frac{5}{8}\times1\frac{9}{10}$

9 $\frac{4}{9}\times2\frac{1}{2}$

10 $\frac{14}{15}\times1\frac{3}{7}$

11 $\frac{9}{22}\times2\frac{1}{5}$

12 $\frac{26}{27}\times2\frac{10}{13}$

13 $\frac{11}{34}\times1\frac{4}{11}$

14 $\frac{4}{35}\times1\frac{3}{4}$

15 $\frac{7}{40}\times5\frac{1}{3}$

16 $1\frac{1}{2}\times\frac{3}{4}$

17 $4\frac{2}{3}\times\frac{1}{12}$

18 $16\frac{1}{5}\times\frac{5}{9}$

19 $2\frac{2}{7}\times\frac{9}{32}$

20 $4\frac{3}{8}\times\frac{5}{8}$

21 $3\frac{1}{9}\times\frac{10}{21}$

22 $1\frac{3}{10}\times\frac{9}{13}$

23 $2\frac{1}{12}\times\frac{9}{20}$

24 $1\frac{5}{16}\times\frac{3}{7}$

25 $2\frac{13}{22}\times\frac{11}{13}$

26 $1\frac{11}{27}\times\frac{18}{19}$

맞힌 개수
개 /26개

나의 학습 결과에 ○표 하세요.

맞힌 개수	0~3개	4~13개	14~23개	24~26개
학습 방법	다시 한번 풀어 봐요.	계산 연습이 필요해요.	틀린 문제를 확인해요.	실수하지 않도록 집중해요.

QR 빠른 정답 확인

2. (진분수) × (대분수), (대분수) × (진분수)

계산을 하여 기약분수로 나타내어 보세요.

1 $\frac{2}{3} \times 4\frac{1}{5}$

2 $\frac{3}{4} \times 2\frac{2}{15}$

3 $\frac{1}{6} \times 1\frac{2}{9}$

4 $\frac{7}{8} \times 1\frac{1}{2}$

5 $\frac{5}{9} \times 1\frac{2}{25}$

6 $\frac{7}{11} \times 2\frac{5}{14}$

7 $\frac{6}{13} \times 2\frac{1}{3}$

8 $\frac{5}{17} \times 6\frac{4}{5}$

9 $\frac{4}{21} \times 24\frac{1}{2}$

10 $\frac{13}{24} \times 3\frac{3}{4}$

11 $\frac{20}{29} \times 1\frac{7}{10}$

12 $3\frac{1}{3} \times \frac{8}{15}$

13 $1\frac{3}{5} \times \frac{2}{19}$

14 $3\frac{5}{6} \times \frac{16}{23}$

15 $2\frac{4}{7} \times \frac{5}{6}$

16 $1\frac{5}{8} \times \frac{3}{11}$

17 $2\frac{2}{9} \times \frac{3}{10}$

18 $2\frac{1}{12} \times \frac{14}{15}$

19 $1\frac{7}{15} \times \frac{30}{49}$

20 $2\frac{3}{16} \times \frac{20}{21}$

21 $3\frac{1}{33} \times \frac{11}{20}$

연산 in 문장제

정국이네 학교에 밑변의 길이는 $\frac{4}{7}$ m이고, 높이는 $2\frac{3}{8}$ m인 평행사변형 모양의 꽃밭이 있습니다. 이 꽃밭의 넓이는 몇 m^2인지 구해 보세요.

방법1 $\frac{4}{7} \times 2\frac{3}{8} = \frac{\overset{1}{\cancel{4}}}{7} \times \frac{19}{\underset{2}{\cancel{8}}} = \frac{19}{14} = 1\frac{5}{14}$ (m^2)

밑변의 길이 ($\frac{4}{7}$), 높이 ($2\frac{3}{8}$), 꽃밭의 넓이 ($1\frac{5}{14}$)

방법2 $\frac{4}{7} \times 2\frac{3}{8} = \left(\frac{4}{7} \times 2\right) + \left(\frac{\overset{1}{\cancel{4}}}{7} \times \frac{3}{\underset{2}{\cancel{8}}}\right) = \frac{8}{7} + \frac{3}{14}$

$= \frac{16}{14} + \frac{3}{14} = \frac{19}{14} = 1\frac{5}{14}$ (m^2)

22 솔이의 방에 가로는 $\frac{5}{8}$ m이고, 세로는 가로의 $1\frac{2}{3}$배인 직사각형 모양의 액자가 있습니다. 이 액자의 세로는 몇 m인지 구해 보세요.

답 ________

23 주말농장에서 윤제가 딴 딸기는 $\frac{7}{9}$ kg이고, 형이 딴 딸기는 윤제가 딴 딸기의 $1\frac{4}{5}$배입니다. 형이 딴 딸기는 몇 kg인지 구해 보세요.

답 ________

24 길이가 $9\frac{1}{2}$ cm인 양초에 불을 붙이고 한 시간 후에 양초의 길이를 재었더니 처음 길이의 $\frac{3}{19}$이었습니다. 한 시간 후에 잰 양초의 길이는 몇 cm인지 구해 보세요.

답 ________

25 가방을 만드는 데 넓이가 $6\frac{2}{3}$ m^2인 천의 $\frac{9}{10}$를 사용했습니다. 사용한 천의 넓이는 몇 m^2인지 구해 보세요.

답 ________

맞힌 개수

개 /25개

나의 학습 결과에 ○표 하세요.

맞힌 개수	0~3개	4~13개	14~22개	23~25개
학습 방법	다시 한번 풀어 봐요.	계산 연습이 필요해요.	틀린 문제를 확인해요.	실수하지 않도록 집중해요.

QR 빠른 정답 확인

05 일차 3. (대분수)×(대분수)

방법1 대분수를 가분수로 바꾸어 계산하기

$$1\frac{1}{3}\times2\frac{1}{4}=\frac{\overset{1}{\cancel{4}}}{\underset{1}{\cancel{3}}}\times\frac{\overset{3}{\cancel{9}}}{\underset{1}{\cancel{4}}}=3$$

대분수를 가분수로 바꾸어요.

방법2 대분수를 자연수 부분과 진분수 부분으로 나누어 계산하기

$$1\frac{1}{3}\times2\frac{1}{4}=\left(1\frac{1}{3}\times2\right)+\left(1\frac{1}{3}\times\frac{1}{4}\right)=\left(\frac{4}{3}\times2\right)+\left(\frac{\overset{1}{\cancel{4}}}{3}\times\frac{1}{\underset{1}{\cancel{4}}}\right)$$

$$=\frac{8}{3}+\frac{1}{3}=\frac{9}{3}=3$$

$1\frac{1}{3}\times2\frac{1}{4}$
$=\left(1\times2\frac{1}{4}\right)+\left(\frac{1}{3}\times2\frac{1}{4}\right)$
로 계산할 수도 있어요.

□ 안에 알맞은 수를 써넣으세요.

1 $1\frac{2}{3}\times1\frac{1}{7}=\frac{\square}{3}\times\frac{\square}{7}=\frac{\square}{21}=\square$

2 $2\frac{1}{7}\times1\frac{4}{5}=\frac{\overset{\square}{\cancel{15}}}{\square}\times\frac{\square}{\underset{1}{\cancel{5}}}=\frac{\square}{7}=\square$

3 $2\frac{2}{9}\times2\frac{5}{12}=\left(2\frac{2}{9}\times\square\right)+\left(2\frac{2}{9}\times\frac{\square}{12}\right)=\left(\frac{20}{9}\times\square\right)+\left(\frac{\overset{\square}{\cancel{20}}}{9}\times\frac{\square}{\underset{3}{\cancel{12}}}\right)$

$=\frac{\square}{9}+\frac{\square}{27}=\frac{\square}{27}+\frac{\square}{27}=\frac{\square}{27}=\square$

4 $1\frac{4}{11}\times1\frac{7}{15}=\left(1\times1\frac{7}{15}\right)+\left(\frac{\square}{11}\times1\frac{7}{15}\right)=\left(1\times\frac{\square}{15}\right)+\left(\frac{\square}{\underset{1}{\cancel{11}}}\times\frac{\overset{\square}{\cancel{22}}}{15}\right)$

$=\frac{\square}{15}+\frac{\square}{15}=\frac{\square}{15}=\square$

계산을 하여 기약분수로 나타내어 보세요.

5 $1\frac{1}{2}\times1\frac{1}{4}$

6 $4\frac{2}{3}\times2\frac{4}{7}$

7 $2\frac{2}{5}\times2\frac{1}{12}$

8 $4\frac{1}{6}\times1\frac{11}{15}$

9 $1\frac{2}{7}\times1\frac{1}{7}$

10 $3\frac{3}{7}\times2\frac{3}{4}$

11 $2\frac{7}{8}\times1\frac{5}{11}$

12 $3\frac{1}{8}\times2\frac{4}{5}$

13 $1\frac{1}{9}\times3\frac{1}{2}$

14 $2\frac{8}{9}\times1\frac{1}{8}$

15 $1\frac{3}{10}\times1\frac{2}{13}$

16 $2\frac{7}{10}\times2\frac{2}{9}$

17 $1\frac{9}{11}\times1\frac{5}{6}$

18 $1\frac{5}{12}\times1\frac{1}{2}$

19 $1\frac{3}{13}\times2\frac{3}{8}$

20 $2\frac{2}{13}\times5\frac{1}{5}$

21 $2\frac{5}{14}\times1\frac{1}{11}$

22 $1\frac{1}{15}\times3\frac{3}{4}$

23 $3\frac{1}{18}\times1\frac{3}{11}$

24 $1\frac{5}{23}\times2\frac{1}{4}$

25 $2\frac{6}{25}\times1\frac{9}{16}$

맞힌 개수

개 /25개

나의 학습 결과에 ○표 하세요.

맞힌 개수	0~3개	4~13개	14~22개	23~25개
학습 방법	다시 한번 풀어 봐요.	계산 연습이 필요해요.	틀린 문제를 확인해요.	실수하지 않도록 집중해요.

QR 빠른 정답 확인

06일차 3. (대분수)×(대분수)

계산을 하여 기약분수로 나타내어 보세요.

1. $5\frac{1}{2}\times1\frac{2}{7}$

2. $3\frac{1}{3}\times1\frac{7}{10}$

3. $2\frac{3}{4}\times1\frac{9}{11}$

4. $1\frac{1}{5}\times1\frac{2}{15}$

5. $3\frac{3}{5}\times2\frac{1}{4}$

6. $1\frac{5}{6}\times1\frac{3}{7}$

7. $2\frac{5}{6}\times2\frac{2}{5}$

8. $1\frac{3}{8}\times2\frac{1}{3}$

9. $2\frac{1}{8}\times2\frac{2}{7}$

10. $1\frac{5}{9}\times1\frac{1}{6}$

11. $3\frac{9}{10}\times1\frac{19}{26}$

12. $1\frac{7}{11}\times1\frac{1}{9}$

13. $2\frac{1}{12}\times1\frac{3}{25}$

14. $1\frac{3}{13}\times2\frac{1}{10}$

15. $1\frac{1}{15}\times4\frac{3}{8}$

16. $1\frac{3}{16}\times1\frac{2}{19}$

17. $2\frac{13}{18}\times3\frac{3}{14}$

18. $1\frac{5}{19}\times2\frac{5}{12}$

19. $1\frac{4}{21}\times1\frac{13}{20}$

20. $3\frac{2}{25}\times1\frac{7}{33}$

21. $2\frac{2}{27}\times1\frac{5}{16}$

연산 in 문장제

물이 1분에 $2\frac{2}{5}$ L씩 나오는 수도가 있습니다. 이 수도에서 $1\frac{2}{3}$분 동안 나오는 물은 몇 L인지 구해 보세요.

방법1 $2\frac{2}{5} \times 1\frac{2}{3} = \frac{\overset{4}{\cancel{12}}}{\underset{1}{\cancel{5}}} \times \frac{\overset{1}{\cancel{5}}}{\underset{1}{\cancel{3}}} = 4$ (L)

($2\frac{2}{5}$: 1분 동안 나오는 물의 양, $1\frac{2}{3}$: 물이 나오는 시간, 4(L): 나오는 물의 양)

방법2 $2\frac{2}{5} \times 1\frac{2}{3} = \left(2\frac{2}{5}\times1\right) + \left(2\frac{2}{5}\times\frac{2}{3}\right) = \left(\frac{12}{5}\times1\right) + \left(\frac{\overset{4}{\cancel{12}}}{5}\times\frac{2}{\underset{1}{\cancel{3}}}\right)$

$= \frac{12}{5} + \frac{8}{5} = \frac{\overset{4}{\cancel{20}}}{\underset{1}{\cancel{5}}} = 4$ (L)

22 한 변의 길이가 $5\frac{1}{2}$ cm인 정사각형 모양의 색종이가 있습니다. 이 색종이의 넓이는 몇 cm^2인지 구해 보세요.

답 ______

23 건물 벽에 페인트를 칠하고 있습니다. 어제 칠한 벽의 넓이는 $7\frac{1}{3}$ m^2이고, 오늘 칠한 벽의 넓이는 어제 칠한 벽의 넓이의 $1\frac{6}{11}$배입니다. 오늘 칠한 벽의 넓이는 몇 m^2인지 구해 보세요.

답 ______

24 준영이는 자전거를 타고 한 시간 동안 $10\frac{2}{5}$ km를 갔습니다. 준영이가 같은 빠르기로 자전거를 탄다면 $1\frac{1}{6}$시간 동안 갈 수 있는 거리는 몇 km인지 구해 보세요.

답 ______

맞힌 개수: 개 /24개

나의 학습 결과에 ○표 하세요.

맞힌 개수	0~2개	3~12개	13~22개	23~24개
학습 방법	다시 한번 풀어 봐요.	계산 연습이 필요해요.	틀린 문제를 확인해요.	실수하지 않도록 집중해요.

QR 빠른 정답 확인

4. (분수)×(분수)

계산을 하여 기약분수로 나타내어 보세요.

1 $\frac{1}{2}\times\frac{2}{7}$

2 $\frac{3}{4}\times\frac{8}{9}$

3 $\frac{5}{6}\times\frac{4}{15}$

4 $\frac{4}{7}\times\frac{3}{10}$

5 $\frac{7}{9}\times\frac{5}{21}$

6 $\frac{9}{10}\times\frac{1}{6}$

7 $\frac{8}{11}\times\frac{1}{18}$

8 $\frac{7}{12}\times\frac{24}{35}$

9 $\frac{5}{14}\times\frac{3}{7}$

10 $\frac{8}{15}\times\frac{5}{12}$

11 $\frac{9}{16}\times\frac{4}{9}$

12 $\frac{7}{18}\times\frac{3}{4}$

13 $\frac{16}{21}\times\frac{7}{20}$

14 $\frac{13}{27}\times\frac{6}{13}$

15 $\frac{15}{44}\times\frac{11}{45}$

16 $\frac{32}{45}\times\frac{35}{48}$

17 $\frac{2}{3}\times4\frac{1}{2}$

18 $\frac{1}{6}\times2\frac{1}{6}$

19 $\frac{6}{7}\times3\frac{1}{9}$

20 $\frac{3}{8}\times1\frac{2}{3}$

21 $\frac{2}{9}\times4\frac{4}{5}$

22 $\frac{7}{12}\times1\frac{3}{5}$

23 $\frac{14}{15}\times8\frac{19}{28}$

24 $\frac{8}{25}\times3\frac{1}{8}$

25 $1\frac{2}{3}\times\frac{3}{14}$

26 $5\frac{5}{6}\times\frac{6}{7}$

27 $2\frac{1}{7}\times\frac{5}{8}$

28 $1\frac{5}{9}\times\frac{11}{14}$

29 $2\frac{2}{9}\times\frac{36}{37}$

30 $1\frac{1}{15}\times\frac{7}{32}$

31 $1\frac{17}{27}\times\frac{15}{22}$

32 $5\frac{1}{2}\times1\frac{3}{4}$

33 $3\frac{1}{3}\times1\frac{1}{5}$

34 $3\frac{3}{5}\times1\frac{19}{21}$

35 $2\frac{1}{6}\times2\frac{4}{7}$

36 $2\frac{6}{7}\times5\frac{5}{6}$

37 $1\frac{7}{8}\times5\frac{1}{3}$

38 $1\frac{7}{9}\times1\frac{13}{14}$

39 $1\frac{1}{10}\times1\frac{1}{3}$

40 $3\frac{9}{10}\times1\frac{7}{13}$

41 $2\frac{1}{12}\times1\frac{1}{15}$

42 $1\frac{13}{15}\times1\frac{2}{7}$

43 $2\frac{3}{16}\times2\frac{4}{5}$

44 $2\frac{2}{21}\times2\frac{5}{8}$

45 $2\frac{2}{27}\times5\frac{5}{8}$

맞힌 개수
개 /45개

나의 학습 결과에 ○표 하세요.

맞힌 개수	0～5개	6～23개	24～40개	41～45개
학습 방법	다시 한번 풀어 봐요.	계산 연습이 필요해요.	틀린 문제를 확인해요.	실수하지 않도록 집중해요.

08일차 5. 세 분수의 곱 (1)

방법1 두 분수씩 차례대로 계산하기

$$\frac{2}{3}\times\frac{1}{5}\times\frac{9}{10}=\left(\frac{2}{3}\times\frac{1}{5}\right)\times\frac{9}{10}$$

앞에서부터 두 분수씩 차례대로 계산해요.

$$=\frac{\overset{1}{\cancel{2}}}{\underset{5}{\cancel{15}}}\times\frac{\overset{3}{\cancel{9}}}{\underset{5}{\cancel{10}}}=\frac{3}{25}$$

방법2 세 분수의 곱셈식에서 분자와 분모를 약분하여 계산하기

$$\frac{\overset{1}{\cancel{2}}}{\underset{1}{\cancel{3}}}\times\frac{1}{5}\times\frac{\overset{3}{\cancel{9}}}{\underset{5}{\cancel{10}}}=\frac{3}{25}$$

● □ 안에 알맞은 수를 써넣으세요.

1 $\frac{1}{2}\times\frac{1}{9}\times\frac{1}{6}=\left(\frac{1}{\square}\times\frac{1}{\square}\right)\times\frac{1}{6}$

$=\frac{\square}{\square}\times\frac{1}{6}=\frac{\square}{\square}$

2 $\frac{1}{3}\times\frac{3}{7}\times\frac{5}{8}=\left(\frac{\square}{\underset{1}{\cancel{3}}}\times\frac{\overset{\square}{\cancel{3}}}{\square}\right)\times\frac{5}{8}$

$=\frac{\square}{\square}\times\frac{5}{8}=\frac{\square}{\square}$

3 $\frac{5}{9}\times2\frac{1}{3}\times\frac{9}{10}=\frac{\overset{\square}{\cancel{5}}}{\underset{1}{\cancel{9}}}\times\frac{\square}{3}\times\frac{\overset{\square}{\cancel{9}}}{\underset{2}{\cancel{10}}}$

$=\frac{7}{\square}=\square$

● 계산을 하여 기약분수로 나타내어 보세요.

4 $\frac{1}{2}\times\frac{1}{3}\times\frac{1}{5}$

5 $\frac{1}{4}\times\frac{5}{6}\times\frac{2}{7}$

6 $\frac{3}{4}\times\frac{1}{2}\times\frac{9}{10}$

7 $\frac{1}{5}\times\frac{4}{7}\times\frac{5}{6}$

8 $\frac{4}{5}\times\frac{3}{8}\times\frac{7}{15}$

9 $\frac{1}{6}\times\frac{7}{8}\times\frac{1}{7}$

10 $\frac{2}{7}\times\frac{3}{8}\times\frac{7}{9}$

11 $\frac{4}{7}\times\frac{9}{10}\times\frac{14}{17}$

12 $\frac{3}{8}\times\frac{12}{13}\times\frac{4}{9}$

13 $\frac{7}{9}\times\frac{9}{14}\times\frac{3}{10}$

14 $\frac{3}{10}\times\frac{5}{9}\times\frac{18}{25}$

15 $\frac{5}{11}\times\frac{4}{5}\times\frac{5}{6}$

16 $\frac{8}{15}\times\frac{9}{20}\times\frac{5}{9}$

17 $\frac{3}{16}\times\frac{6}{11}\times\frac{4}{9}$

18 $\frac{2}{3}\times\frac{3}{8}\times1\frac{1}{6}$

19 $\frac{3}{4}\times\frac{5}{8}\times1\frac{3}{5}$

20 $\frac{3}{7}\times\frac{8}{9}\times5\frac{1}{4}$

21 $\frac{6}{7}\times\frac{5}{6}\times2\frac{1}{10}$

22 $\frac{9}{10}\times\frac{4}{9}\times4\frac{1}{6}$

23 $\frac{1}{3}\times1\frac{6}{7}\times\frac{7}{13}$

24 $\frac{2}{5}\times3\frac{1}{3}\times\frac{7}{8}$

25 $\frac{5}{6}\times3\frac{1}{3}\times\frac{17}{20}$

26 $\frac{4}{9}\times3\frac{4}{7}\times\frac{14}{15}$

27 $\frac{8}{11}\times8\frac{1}{4}\times\frac{7}{10}$

28 $4\frac{1}{2}\times\frac{5}{9}\times\frac{2}{15}$

29 $2\frac{5}{6}\times\frac{3}{5}\times\frac{5}{34}$

30 $3\frac{1}{9}\times\frac{6}{7}\times\frac{2}{3}$

31 $2\frac{1}{12}\times\frac{5}{8}\times\frac{3}{20}$

맞힌 개수

개 /31개

나의 학습 결과에 ○표 하세요.

맞힌 개수	0~3개	4~16개	17~28개	29~31개
학습 방법	다시 한번 풀어 봐요.	계산 연습이 필요해요.	틀린 문제를 확인해요.	실수하지 않도록 집중해요.

QR 빠른 정답 확인

5. 세 분수의 곱 (1)

계산을 하여 기약분수로 나타내어 보세요.

1 $\frac{1}{2}\times\frac{5}{9}\times\frac{3}{7}$

2 $\frac{1}{3}\times\frac{1}{4}\times\frac{1}{6}$

3 $\frac{2}{3}\times\frac{1}{7}\times\frac{14}{15}$

4 $\frac{3}{5}\times\frac{10}{11}\times\frac{3}{8}$

5 $\frac{5}{6}\times\frac{5}{8}\times\frac{4}{15}$

6 $\frac{6}{7}\times\frac{3}{10}\times\frac{5}{12}$

7 $\frac{2}{9}\times\frac{5}{8}\times\frac{9}{10}$

8 $\frac{7}{12}\times\frac{9}{14}\times\frac{6}{7}$

9 $\frac{5}{14}\times\frac{2}{3}\times\frac{4}{5}$

10 $\frac{16}{21}\times\frac{7}{15}\times\frac{3}{16}$

11 $\frac{2}{5}\times\frac{10}{11}\times9\frac{1}{6}$

12 $\frac{3}{5}\times\frac{5}{8}\times1\frac{3}{7}$

13 $\frac{5}{8}\times\frac{4}{9}\times1\frac{1}{20}$

14 $\frac{7}{12}\times\frac{8}{9}\times5\frac{2}{5}$

15 $\frac{3}{4}\times8\frac{1}{3}\times\frac{8}{15}$

16 $\frac{1}{8}\times9\frac{1}{7}\times\frac{13}{24}$

17 $\frac{7}{10}\times3\frac{3}{4}\times\frac{4}{5}$

18 $\frac{2}{15}\times2\frac{2}{9}\times\frac{9}{16}$

19 $8\frac{1}{2}\times\frac{16}{17}\times\frac{15}{32}$

20 $1\frac{1}{6}\times\frac{7}{10}\times\frac{3}{14}$

21 $5\frac{1}{7}\times\frac{7}{9}\times\frac{3}{5}$

연산 in 문장제

길이가 $\frac{8}{9}$ m인 끈의 $\frac{1}{2}$로 선물 상자를 포장했습니다. 포장하는 데 사용한 끈의 $\frac{1}{4}$로 매듭을 묶었다면 매듭을 묶는 데 사용한 끈의 길이는 몇 m인지 구해 보세요.

방법1 $\frac{8}{9} \times \frac{1}{2} \times \frac{1}{4} = \left(\frac{\overset{4}{\cancel{8}}}{9} \times \frac{1}{\underset{1}{\cancel{2}}}\right) \times \frac{1}{4} = \frac{\overset{1}{\cancel{4}}}{9} \times \frac{1}{\underset{1}{\cancel{4}}} = \frac{1}{9}$ (m)

- $\frac{8}{9}$: 전체 끈의 길이
- $\frac{1}{2}$: 전체 끈의 길이에 대한 포장하는 데 사용한 끈의 부분
- $\frac{1}{4}$: 포장하는 데 사용한 끈의 길이에 대한 매듭을 묶는 데 사용한 끈의 부분
- $\frac{1}{9}$: 매듭을 묶는 데 사용한 끈의 길이

방법2 $\frac{\overset{1}{\cancel{\overset{4}{\cancel{8}}}}}{9} \times \frac{1}{\underset{1}{\cancel{2}}} \times \frac{1}{\underset{1}{\cancel{4}}} = \frac{1}{9}$ (m)

22 소희네 반 전체 학생의 $\frac{2}{3}$는 남학생입니다. 남학생 중에서 $\frac{7}{15}$은 악기를 연주할 수 있고, 그중 $\frac{5}{6}$는 단소를 연주할 수 있습니다. 단소를 연주할 수 있는 남학생은 소희네 반 전체 학생의 얼마인지 구해 보세요.

답 ____________

23 넓이가 $2\frac{3}{5}$ km^{2}인 과수원의 $\frac{5}{8}$에 포도나무를 심었습니다. 그중 $\frac{2}{3}$는 거봉이 열리는 포도나무라면 거봉이 열리는 포도나무를 심은 과수원의 넓이는 몇 km^{2}인지 구해 보세요.

답 ____________

24 주말농장에서 동생은 방울토마토 $\frac{5}{7}$ kg을 땄고, 민제는 동생이 딴 방울토마토의 $2\frac{1}{4}$배를 땄습니다. 민제가 딴 방울토마토의 $\frac{2}{3}$를 이웃집에 나누어 주었다면 이웃집에 나누어 준 방울토마토는 몇 kg인지 구해 보세요.

답 ____________

맞힌 개수: 개 /24개

나의 학습 결과에 ○표 하세요.

맞힌 개수	0~2개	3~12개	13~22개	23~24개
학습 방법	다시 한번 풀어 봐요.	계산 연습이 필요해요.	틀린 문제를 확인해요.	실수하지 않도록 집중해요.

QR 빠른 정답 확인

10 일차 6. 세 분수의 곱 (2)

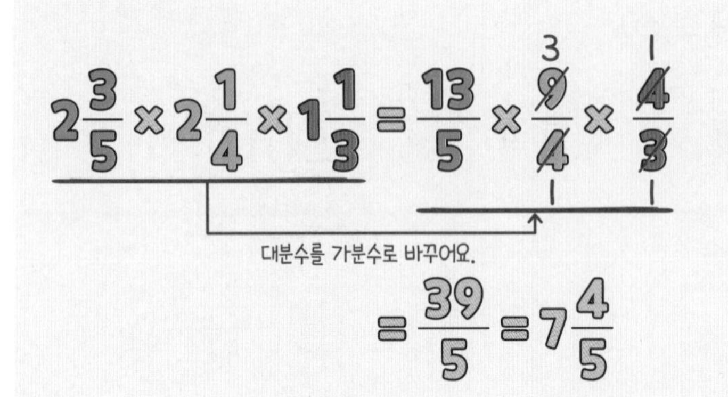

● □ 안에 알맞은 수를 써넣으세요.

1. $\frac{1}{6} \times 1\frac{2}{3} \times 1\frac{1}{9} = \frac{1}{\underset{3}{\cancel{6}}} \times \frac{\square}{3} \times \frac{\overset{\square}{\cancel{10}}}{9} = \frac{\square}{81}$

2. $2\frac{1}{5} \times \frac{4}{7} \times 1\frac{3}{11} = \frac{\overset{\square}{\cancel{11}}}{5} \times \frac{4}{\underset{1}{\cancel{7}}} \times \frac{\overset{\square}{\cancel{14}}}{\underset{1}{\cancel{11}}} = \frac{\square}{5} = \square$

3. $1\frac{1}{4} \times 1\frac{5}{7} \times \frac{2}{5} = \frac{\overset{\square}{\cancel{5}}}{\underset{1}{\cancel{4}}} \times \frac{\overset{\square}{\cancel{12}}}{7} \times \frac{\square}{\underset{1}{\cancel{5}}} = \frac{\square}{7}$

4. $2\frac{1}{7} \times 1\frac{2}{3} \times 2\frac{1}{10} = \frac{\overset{\square}{\cancel{15}}}{\underset{1}{\cancel{7}}} \times \frac{\overset{\square}{\cancel{5}}}{\underset{1}{\cancel{3}}} \times \frac{\overset{\square}{\cancel{21}}}{\underset{2}{\cancel{10}}} = \frac{\square}{2} = \square$

5. $3\frac{1}{8} \times 1\frac{4}{5} \times 1\frac{7}{9} = \frac{\overset{\square}{\cancel{25}}}{\underset{1}{\cancel{8}}} \times \frac{\overset{\square}{\cancel{9}}}{\underset{1}{\cancel{5}}} \times \frac{\overset{\square}{\cancel{16}}}{\underset{1}{\cancel{9}}} = \square$

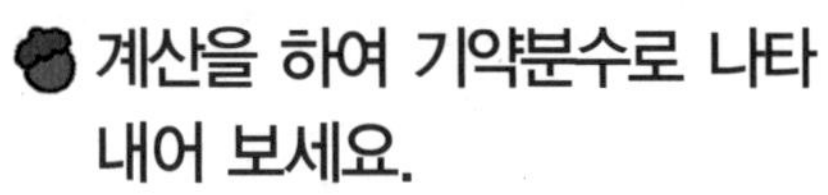

● 계산을 하여 기약분수로 나타내어 보세요.

6. $\frac{1}{2} \times 1\frac{1}{9} \times 1\frac{1}{25}$

7. $\frac{1}{5} \times 1\frac{2}{3} \times 3\frac{6}{7}$

8. $\frac{5}{7} \times 1\frac{7}{9} \times 2\frac{1}{10}$

9. $\frac{4}{9} \times 4\frac{1}{2} \times 4\frac{5}{7}$

10. $\frac{7}{12} \times 1\frac{3}{5} \times 2\frac{1}{2}$

11. $4\frac{2}{3} \times \frac{3}{13} \times 3\frac{6}{7}$

12. $5\frac{1}{4} \times \frac{1}{2} \times 3\frac{3}{7}$

13 $1\frac{3}{8} \times \frac{4}{21} \times 1\frac{5}{9}$

14 $2\frac{1}{10} \times \frac{5}{8} \times 2\frac{2}{3}$

15 $1\frac{5}{12} \times \frac{8}{9} \times 1\frac{1}{17}$

16 $7\frac{1}{3} \times 1\frac{5}{8} \times \frac{6}{11}$

17 $3\frac{3}{5} \times 1\frac{1}{4} \times \frac{6}{7}$

18 $3\frac{3}{8} \times 2\frac{2}{9} \times \frac{5}{7}$

19 $1\frac{1}{14} \times 1\frac{2}{3} \times \frac{4}{5}$

20 $2\frac{1}{2} \times 3\frac{1}{5} \times 4\frac{1}{3}$

21 $2\frac{1}{3} \times 2\frac{2}{7} \times 2\frac{1}{4}$

22 $1\frac{1}{4} \times 2\frac{1}{12} \times 1\frac{3}{5}$

23 $1\frac{3}{4} \times 1\frac{1}{14} \times 1\frac{8}{15}$

24 $1\frac{2}{5} \times 2\frac{4}{9} \times 2\frac{1}{2}$

25 $1\frac{1}{6} \times 3\frac{1}{8} \times 9\frac{3}{5}$

26 $5\frac{5}{6} \times 1\frac{2}{7} \times 2\frac{1}{3}$

27 $2\frac{1}{7} \times 3\frac{1}{2} \times 1\frac{1}{5}$

28 $3\frac{1}{9} \times 2\frac{2}{3} \times 3\frac{3}{8}$

29 $1\frac{4}{9} \times 4\frac{1}{2} \times 2\frac{1}{13}$

30 $2\frac{1}{10} \times 3\frac{1}{3} \times 2\frac{1}{2}$

31 $1\frac{9}{11} \times 2\frac{1}{2} \times 2\frac{3}{5}$

32 $1\frac{14}{15} \times 1\frac{1}{29} \times 1\frac{3}{7}$

33 $1\frac{1}{17} \times 2\frac{5}{6} \times 2\frac{1}{8}$

맞힌 개수

개 /33개

나의 학습 결과에 ○표 하세요.

맞힌 개수	0~3개	4~17개	18~30개	31~33개
학습 방법	다시 한번 풀어 봐요.	계산 연습이 필요해요.	틀린 문제를 확인해요.	실수하지 않도록 집중해요.

QR 빠른 정답 확인

11 일차 6. 세 분수의 곱 (2)

계산을 하여 기약분수로 나타내어 보세요.

1 $\frac{1}{4}\times1\frac{2}{5}\times1\frac{2}{5}$

2 $\frac{3}{8}\times3\frac{1}{5}\times4\frac{1}{4}$

3 $\frac{1}{12}\times2\frac{4}{7}\times3\frac{1}{2}$

4 $\frac{14}{15}\times1\frac{5}{8}\times1\frac{3}{7}$

5 $1\frac{2}{3}\times\frac{8}{15}\times2\frac{7}{9}$

6 $1\frac{3}{5}\times\frac{7}{8}\times1\frac{1}{3}$

7 $1\frac{3}{7}\times\frac{1}{6}\times3\frac{8}{9}$

8 $2\frac{1}{12}\times\frac{2}{15}\times1\frac{1}{2}$

9 $7\frac{1}{2}\times2\frac{1}{5}\times\frac{6}{11}$

10 $2\frac{4}{5}\times3\frac{1}{6}\times2\frac{4}{19}$

11 $2\frac{1}{6}\times1\frac{2}{13}\times\frac{3}{10}$

12 $4\frac{1}{8}\times11\frac{1}{5}\times\frac{5}{9}$

13 $2\frac{1}{2}\times1\frac{3}{7}\times4\frac{2}{3}$

14 $1\frac{2}{3}\times2\frac{3}{4}\times1\frac{4}{5}$

15 $2\frac{1}{4}\times1\frac{1}{9}\times1\frac{5}{7}$

16 $2\frac{1}{5}\times1\frac{21}{34}\times3\frac{1}{11}$

17 $1\frac{3}{7}\times4\frac{1}{2}\times1\frac{2}{5}$

18 $1\frac{1}{8}\times1\frac{5}{6}\times13\frac{1}{3}$

19 $2\frac{3}{10}\times4\frac{2}{3}\times1\frac{5}{7}$

20 $1\frac{1}{16}\times3\frac{1}{5}\times1\frac{3}{17}$

21 $1\frac{4}{21}\times3\frac{1}{3}\times2\frac{7}{10}$

연산 in 문장제

가로가 $3\frac{3}{8}$ m이고, 세로가 $2\frac{4}{9}$ m인 직사각형 모양의 벽에 게시판을 설치했습니다. 게시판의 넓이가 벽의 넓이의 $\frac{3}{5}$이라면 게시판의 넓이는 몇 m^2인지 구해 보세요.

$$3\frac{3}{8} \times 2\frac{4}{9} \times \frac{3}{5} = \frac{\overset{3}{\cancel{27}}}{\underset{4}{\cancel{8}}} \times \frac{\overset{11}{\cancel{22}}}{\underset{1}{\cancel{9}}} \times \frac{3}{5} = \frac{99}{20} = 4\frac{19}{20}\ (m^2)$$

벽의 가로 / 벽의 세로 / 벽의 넓이에 대한 게시판의 부분 / 게시판의 넓이

22 밑변의 길이가 $7\frac{1}{2}$ m이고, 높이가 $4\frac{2}{3}$ m인 평행사변형 모양의 밭이 있습니다. 이 밭의 $\frac{1}{8}$에 고추를 심었다면 고추를 심은 밭의 넓이는 몇 m^2인지 구해 보세요.

답 ______

23 딸기 농장에서 주희는 딸기 $1\frac{3}{4}$ kg을 땄고, 언니는 주희가 딴 딸기의 $1\frac{1}{14}$배를 땄습니다. 언니가 딴 딸기의 $\frac{9}{10}$를 사용하여 딸기잼을 만들었다면 딸기잼을 만드는 데 사용한 딸기는 몇 kg인지 구해 보세요.

답 ______

24 민국이는 종이 위에 한 변의 길이가 $6\frac{7}{8}$ cm인 정사각형 모양의 색종이를 빈틈없이 붙였습니다. 색종이 $25\frac{3}{5}$장을 붙였다면 색종이를 붙인 부분의 넓이는 몇 cm^2인지 구해 보세요.

답 ______

맞힌 개수	나의 학습 결과에 ○표 하세요.			
개 /24개	맞힌 개수	0~2개	3~12개	13~22개	23~24개
	학습 방법	다시 한번 풀어 봐요.	계산 연습이 필요해요.	틀린 문제를 확인해요.	실수하지 않도록 집중해요.

QR 빠른 정답 확인

12일차 연산&문장제 마무리

계산을 하여 기약분수로 나타내어 보세요.

1. $\frac{1}{3}\times\frac{3}{13}$
2. $\frac{2}{5}\times\frac{5}{8}$
3. $\frac{4}{5}\times\frac{6}{7}$
4. $\frac{3}{7}\times\frac{5}{12}$
5. $\frac{5}{8}\times\frac{3}{7}$
6. $\frac{3}{10}\times\frac{7}{9}$
7. $\frac{11}{12}\times\frac{6}{13}$
8. $\frac{9}{14}\times\frac{2}{15}$
9. $\frac{10}{21}\times\frac{14}{15}$
10. $\frac{21}{22}\times\frac{11}{63}$
11. $\frac{20}{39}\times\frac{26}{27}$
12. $\frac{3}{5}\times1\frac{1}{8}$
13. $\frac{4}{7}\times1\frac{3}{4}$
14. $\frac{5}{12}\times1\frac{2}{7}$
15. $\frac{15}{16}\times2\frac{2}{9}$
16. $\frac{15}{22}\times2\frac{3}{4}$
17. $1\frac{1}{2}\times\frac{3}{5}$
18. $5\frac{2}{3}\times\frac{3}{4}$
19. $2\frac{3}{4}\times\frac{7}{11}$
20. $2\frac{1}{7}\times\frac{2}{5}$
21. $2\frac{5}{8}\times\frac{6}{7}$

22 $3\frac{2}{3}\times2\frac{1}{2}$

23 $3\frac{3}{4}\times1\frac{9}{10}$

24 $1\frac{3}{5}\times1\frac{5}{8}$

25 $1\frac{1}{6}\times1\frac{1}{6}$

26 $3\frac{3}{8}\times1\frac{5}{9}$

27 $1\frac{5}{9}\times2\frac{4}{7}$

28 $2\frac{1}{10}\times1\frac{5}{6}$

29 $1\frac{7}{12}\times1\frac{1}{3}$

30 $4\frac{1}{12}\times1\frac{3}{7}$

31 $1\frac{1}{14}\times1\frac{2}{5}$

32 $2\frac{2}{15}\times2\frac{1}{4}$

33 $1\frac{4}{21}\times1\frac{2}{25}$

34 $\frac{2}{3}\times\frac{3}{7}\times\frac{5}{11}$

35 $\frac{1}{8}\times\frac{3}{5}\times\frac{2}{9}$

36 $\frac{4}{9}\times\frac{7}{12}\times\frac{2}{3}$

37 $\frac{2}{3}\times\frac{11}{12}\times1\frac{3}{5}$

38 $\frac{5}{6}\times4\frac{4}{5}\times\frac{7}{9}$

39 $2\frac{1}{16}\times\frac{5}{11}\times\frac{8}{15}$

40 $\frac{5}{7}\times1\frac{1}{12}\times1\frac{1}{13}$

41 $3\frac{1}{2}\times\frac{4}{9}\times1\frac{3}{7}$

42 $1\frac{1}{8}\times2\frac{3}{4}\times\frac{16}{63}$

43 $2\frac{1}{4}\times2\frac{2}{3}\times1\frac{5}{6}$

44 $3\frac{5}{9}\times1\frac{1}{4}\times4\frac{1}{2}$

45 $2\frac{1}{17}\times1\frac{6}{11}\times1\frac{7}{15}$

46 토마토 $\frac{3}{5}$ kg의 $\frac{1}{2}$을 사용하여 토마토주스를 만들었습니다. 토마토주스를 만드는 데 사용한 토마토는 몇 kg인지 구해 보세요.

답 ____________

47 목도리를 만드는 데 길이가 $15\frac{3}{4}$ m인 털실의 $\frac{2}{9}$를 사용했습니다. 목도리를 만드는 데 사용한 털실의 길이는 몇 m인지 구해 보세요.

답 ____________

48 보영이의 방은 가로가 $2\frac{1}{6}$ m이고, 세로가 $3\frac{3}{7}$ m인 직사각형 모양입니다. 보영이의 방의 넓이는 몇 m^2인지 구해 보세요.

답 ____________

49 선웅이네 학교 5학년 학생은 전체 학생의 $\frac{7}{20}$입니다. 5학년 학생의 $\frac{3}{5}$은 남학생이고, 그중 $\frac{2}{3}$는 여동생이 있습니다. 여동생이 있는 5학년 남학생은 선웅이네 학교 전체 학생의 얼마인지 구해 보세요.

답 ____________

50 한 변의 길이가 $6\frac{2}{3}$ m인 정사각형 모양의 꽃밭의 $\frac{3}{10}$에 튤립을 심었습니다. 튤립을 심은 꽃밭의 넓이는 몇 m^2인지 구해 보세요.

답 ____________

연산 노트

맞힌 개수

개 /50개

맞힌 개수	0~5개	6~25개	26~45개	46~50개
학습 방법	다시 한번 풀어 봐요.	계산 연습이 필요해요.	틀린 문제를 확인해요.	실수하지 않도록 집중해요.

QR 빠른 정답 확인

5

소수의 곱셈 (1)

학습 주제	학습 일차	맞힌 개수
1. (1보다 작은 소수)×(자연수)	01일차	/36
	02일차	/25
2. (1보다 큰 소수)×(자연수)	03일차	/35
	04일차	/25
3. (소수)×(자연수)	05일차	/42
4. (자연수)×(1보다 작은 소수)	06일차	/36
	07일차	/25
5. (자연수)×(1보다 큰 소수)	08일차	/34
	09일차	/25
6. (자연수)×(소수)	10일차	/42
연산 & 문장제 마무리	11일차	/52

01 일차 1. (1보다 작은 소수)×(자연수)

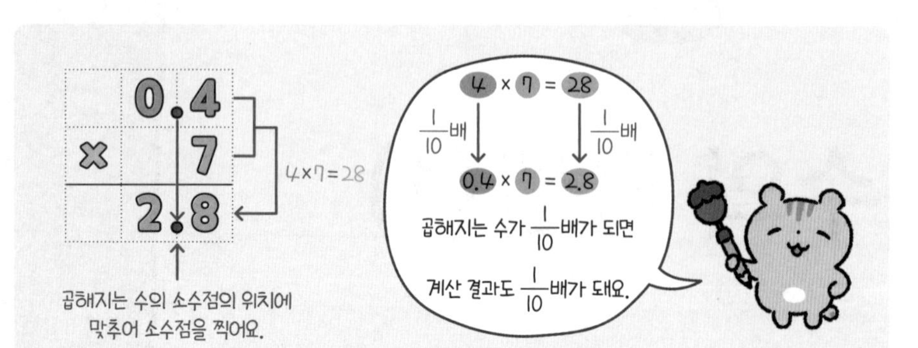

계산해 보세요.

1. 0.2×4

2. 0.3×2

3. 0.4×3

4. 0.8×7

5. 0.9×5

6. 0.3×11

7. 0.5×24

8. 0.6×18

9. 0.7×15

10. 0.8×36

11. 0.07×7

12. 0.12×2

13. 0.35×3

14. 0.48×4

15. 0.51×9

16. 0.64×8

17. 0.73×6

18
	0	. 1	5
×		1	4

19
	0	. 2	6
×		3	2

20
	0	. 5	9
×		2	7

21
	0	. 6	1
×		1	3

22
	0	. 8	2
×		2	5

23 0.2×6

24 0.4×4

25 0.5×5

26 0.8×9

27 0.6×12

28 0.7×42

29 0.9×19

30 0.05×3

31 0.25×2

32 0.54×7

33 0.72×9

34 0.39×17

35 0.76×35

36 0.93×16

맞힌 개수

개 /36개

나의 학습 결과에 ○표 하세요.

맞힌 개수	0~4개	5~18개	19~32개	33~36개
학습 방법	다시 한번 풀어 봐요.	계산 연습이 필요해요.	틀린 문제를 확인해요.	실수하지 않도록 집중해요.

QR 빠른 정답 확인

02일차 1. (1보다 작은 소수)×(자연수)

계산해 보세요.

1 $\begin{array}{r} 0.2 \\ \times \quad 5 \\ \hline \end{array}$

2 $\begin{array}{r} 0.6 \\ \times \quad 3 \\ \hline \end{array}$

3 $\begin{array}{r} 0.8 \\ \times \quad 6 \\ \hline \end{array}$

4 $\begin{array}{r} 0.9 \\ \times \quad 9 \\ \hline \end{array}$

5 $\begin{array}{r} 0.3 \\ \times \ 31 \\ \hline \end{array}$

6 $\begin{array}{r} 0.4 \\ \times \ 17 \\ \hline \end{array}$

7 $\begin{array}{r} 0.7 \\ \times \ 28 \\ \hline \end{array}$

8 $\begin{array}{r} 0.03 \\ \times \quad 7 \\ \hline \end{array}$

9 $\begin{array}{r} 0.47 \\ \times \quad 8 \\ \hline \end{array}$

10 $\begin{array}{r} 0.63 \\ \times \quad 4 \\ \hline \end{array}$

11 $\begin{array}{r} 0.79 \\ \times \quad 6 \\ \hline \end{array}$

12 $\begin{array}{r} 0.28 \\ \times \quad 52 \\ \hline \end{array}$

13 $\begin{array}{r} 0.62 \\ \times \quad 35 \\ \hline \end{array}$

14 $\begin{array}{r} 0.91 \\ \times \quad 43 \\ \hline \end{array}$

15 0.7×7

16 0.2×14

17 0.4×37

18 0.18×5

19 0.56×7

20 0.37×45

21 0.85×29

연산 in 문장제

탁상시계 한 개의 무게는 0.7 kg입니다. 똑같은 탁상시계 6개의 무게는 모두 몇 kg인지 구해 보세요.

$$0.7 \times 6 = 4.2(\text{kg})$$

탁상시계 한 개의 무게 / 탁상시계 수 / 탁상시계 6개의 무게

	0	. 7
×		6
	4	. 2

22 사과주스가 한 병에 0.3 L씩 들어 있습니다. 9병에 들어 있는 사과주스는 모두 몇 L인지 구해 보세요.

답 ______________

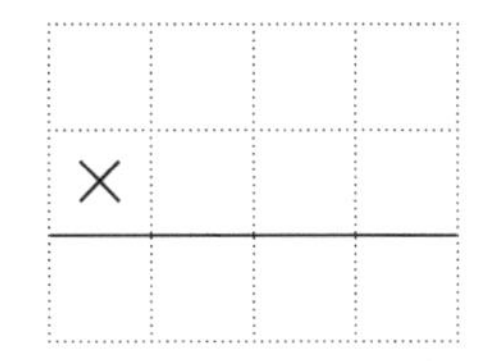

23 지연이는 한 바퀴의 길이가 0.8 km인 공원을 매일 한 바퀴씩 뜁니다. 지연이가 23일 동안 뛴 거리는 모두 몇 km인지 구해 보세요.

답 ______________

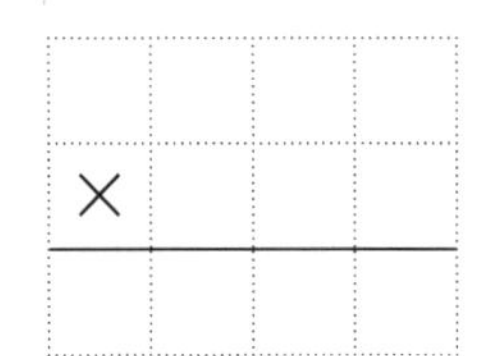

24 세정이는 길이가 0.55 m인 철사를 8개 가지고 있습니다. 세정이가 가지고 있는 철사의 길이는 모두 몇 m인지 구해 보세요.

답 ______________

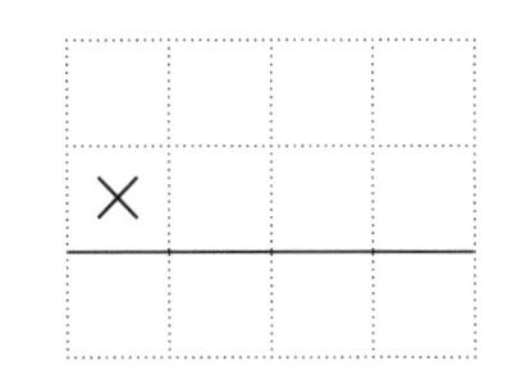

25 초콜릿 한 상자의 무게는 0.27 kg입니다. 똑같은 초콜릿 32상자의 무게는 모두 몇 kg인지 구해 보세요.

 ______________

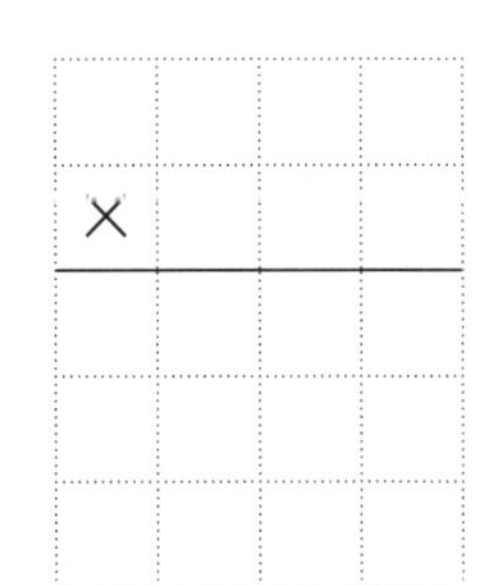

맞힌 개수
개 /25개

나의 학습 결과에 ○표 하세요.

맞힌 개수	0~3개	4~13개	14~22개	23~25개
학습 방법	다시 한번 풀어 봐요.	계산 연습이 필요해요.	틀린 문제를 확인해요.	실수하지 않도록 집중해요.

QR 빠른 정답 확인

2. (1보다 큰 소수)×(자연수)

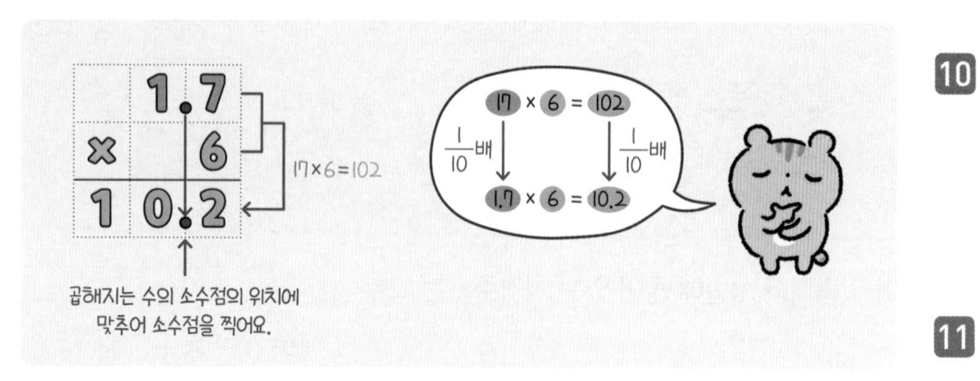

계산해 보세요.

1

	2.	8
×		4

2

	3.	6
×		3

3

	5.	5
×		7

4

	7.	4
×		5

5

	8.	6
×		8

6

		1.	4
	×	6	1

7

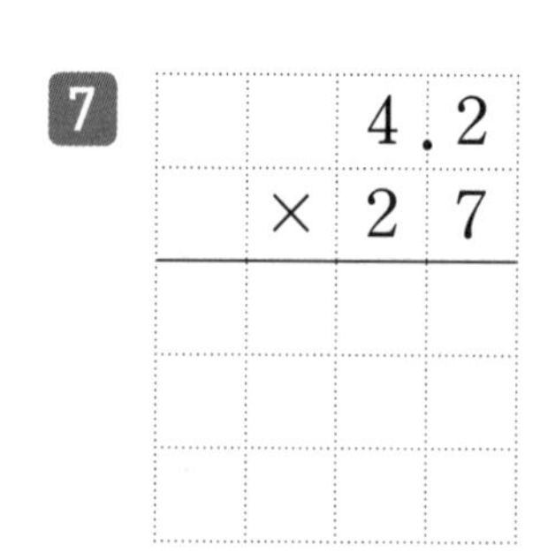

		4.	2
	×	2	7

8

		6.	3
	×	3	2

9

		9.	1
	×	1	6

10

	2.	0	1
×			8

11

	3.	1	5
×			2

12

	5.	7	6
×			4

13

	6.	5	2
×			7

14

	7.	3	4
×			9

15

	8.	6	7
×			5

16

	9.	2	3
×			3

17

$$\begin{array}{r} 1.14 \\ \times \quad 52 \\ \hline \end{array}$$

18

$$\begin{array}{r} 2.07 \\ \times \quad 28 \\ \hline \end{array}$$

19

$$\begin{array}{r} 4.35 \\ \times \quad 41 \\ \hline \end{array}$$

20

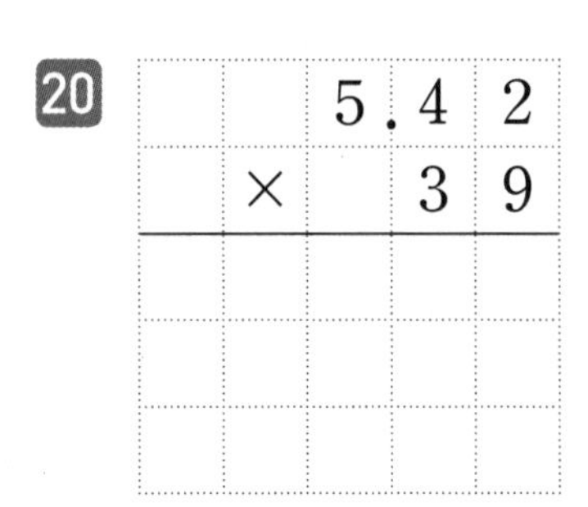

$$\begin{array}{r} 5.42 \\ \times \quad 39 \\ \hline \end{array}$$

21

$$\begin{array}{r} 7.86 \\ \times \quad 17 \\ \hline \end{array}$$

22 1.9×7

23 3.1×4

24 6.7×5

25 8.1×8

26 2.4×46

27 5.8×71

28 9.5×26

29 2.15×3

30 3.08×5

31 4.22×6

32 7.43×2

33 1.59×29

34 6.36×54

35 8.54×31

맞힌 개수

개 /35개

나의 학습 결과에 ○표 하세요.

맞힌 개수	0~4개	5~18개	19~31개	32~35개
학습 방법	다시 한번 풀어 봐요.	계산 연습이 필요해요.	틀린 문제를 확인해요.	실수하지 않도록 집중해요.

QR 빠른 정답 확인

04 일차 2. (1보다 큰 소수)×(자연수)

계산해 보세요.

1 $\begin{array}{r} 1.6 \\ \times \quad 4 \\ \hline \end{array}$

2 $\begin{array}{r} 4.3 \\ \times \quad 6 \\ \hline \end{array}$

3 $\begin{array}{r} 6.8 \\ \times \quad 7 \\ \hline \end{array}$

4 $\begin{array}{r} 9.7 \\ \times \quad 5 \\ \hline \end{array}$

5 $\begin{array}{r} 3.5 \\ \times 22 \\ \hline \end{array}$

6 $\begin{array}{r} 5.1 \\ \times 19 \\ \hline \end{array}$

7 $\begin{array}{r} 8.8 \\ \times 37 \\ \hline \end{array}$

8 $\begin{array}{r} 1.02 \\ \times \quad 2 \\ \hline \end{array}$

9 $\begin{array}{r} 5.24 \\ \times \quad 6 \\ \hline \end{array}$

10 $\begin{array}{r} 7.35 \\ \times \quad 7 \\ \hline \end{array}$

11 $\begin{array}{r} 8.61 \\ \times \quad 3 \\ \hline \end{array}$

12 $\begin{array}{r} 1.78 \\ \times \quad 41 \\ \hline \end{array}$

13 $\begin{array}{r} 4.53 \\ \times \quad 25 \\ \hline \end{array}$

14 $\begin{array}{r} 6.42 \\ \times \quad 18 \\ \hline \end{array}$

15 2.9×8

16 3.8×21

17 5.2×43

18 1.45×6

19 4.09×5

20 2.17×64

21 6.58×32

연산 in 문장제

별 모양을 한 개 만드는 데 색 테이프가 9.4 cm 필요합니다. 별 모양을 2개 만드는 데 필요한 색 테이프는 모두 몇 cm인지 구해 보세요.

$9.4 \times 2 = 18.8(\text{cm})$

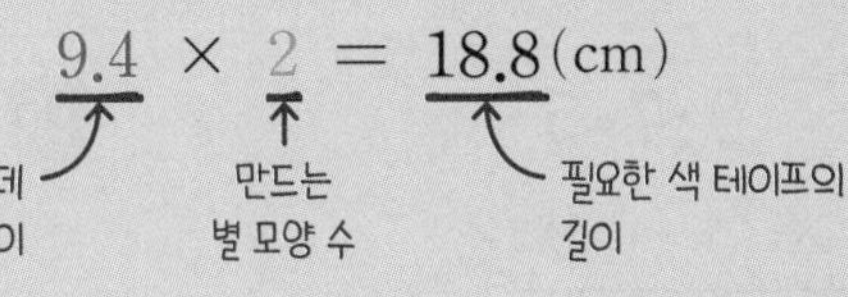

	9	.	4
×			2
1	8	.	8

22 과일 가게에서 한 상자에 2.5 kg씩 들어 있는 토마토를 8상자 팔았습니다. 이 과일 가게에서 판 토마토의 무게는 모두 몇 kg인지 구해 보세요.

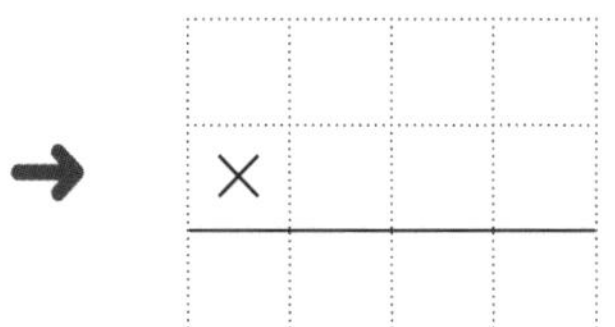

답 ____________

23 제과점에서 빵과 과자를 만드는 데 한 병에 1.8 L씩 들어 있는 우유를 14병 사용했습니다. 이 제과점에서 사용한 우유는 모두 몇 L인지 구해 보세요.

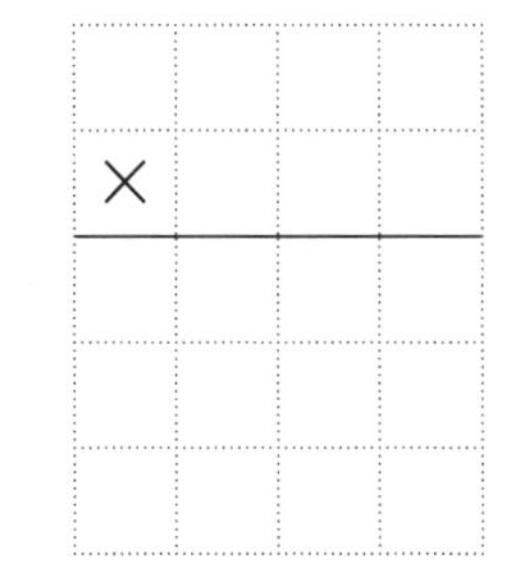

답 ____________

24 금 한 돈의 무게는 3.75 g입니다. 아버지께서 금을 9돈 사셨다면 아버지께서 사신 금의 무게는 모두 몇 g인지 구해 보세요.

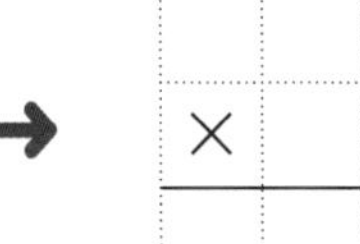

답 

25 지안이네 반에서 보자기를 만들기 위해 한 장의 넓이가 2.42 m^2인 천을 23장 샀습니다. 지안이네 반에서 산 천의 넓이는 모두 몇 m^2인지 구해 보세요.

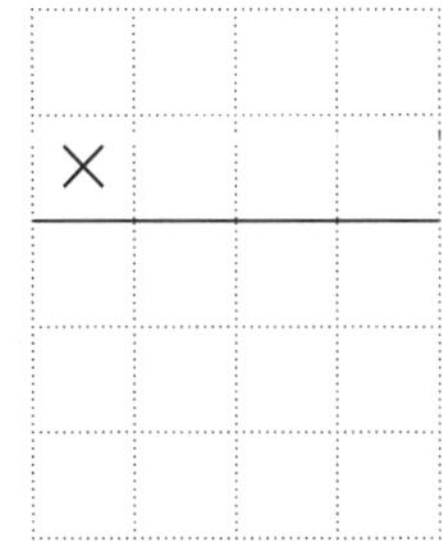

답 

맞힌 개수: 개 /25개

나의 학습 결과에 ○표 하세요.

맞힌 개수	0~3개	4~13개	14~22개	23~25개
학습 방법	다시 한번 풀어 봐요.	계산 연습이 필요해요.	틀린 문제를 확인해요.	실수하지 않도록 집중해요.

QR 빠른정답 확인

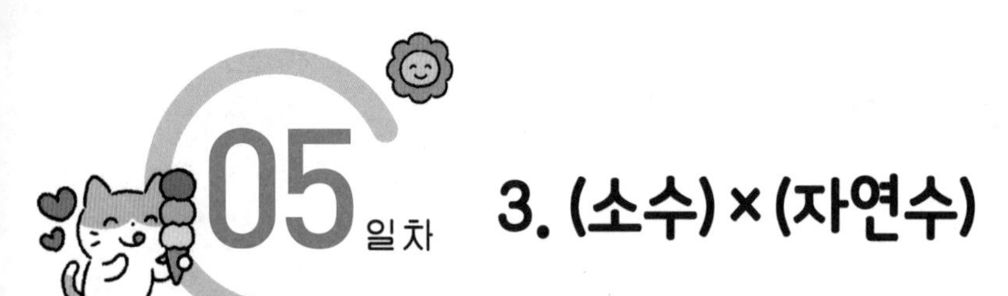

3. (소수)×(자연수)

계산해 보세요.

1. 0.6×5
2. 0.7×8
3. 0.9×4
4. 0.4×18
5. 0.8×52
6. 0.43×6
7. 0.52×4
8. 0.75×9
9. 0.17×25
10. 0.31×84
11. 0.92×32
12. 1.3×4
13. 8.5×7
14. 9.8×5
15. 3.2×58
16. 6.4×76
17. 2.73×4
18. 5.05×3
19. 7.14×8
20. 1.29×29
21. 4.87×51

22 0.3×7

29 0.94×5

36 2.7×92

23 0.4×5

30 0.19×36

37 4.8×35

24 0.9×6

31 0.33×79

38 2.13×8

25 0.6×47

32 0.95×21

39 5.72×2

26 0.8×33

33 1.2×7

40 9.54×7

27 0.08×2

34 3.8×4

41 3.49×28

28 0.32×8

35 7.6×3

42 8.21×34

맞힌 개수

개 / 42개

나의 학습 결과에 ○표 하세요.

맞힌 개수	0~4개	5~21개	22~38개	39~42개
학습 방법	다시 한번 풀어 봐요.	계산 연습이 필요해요.	틀린 문제를 확인해요.	실수하지 않도록 집중해요.

QR 빠른 정답 확인

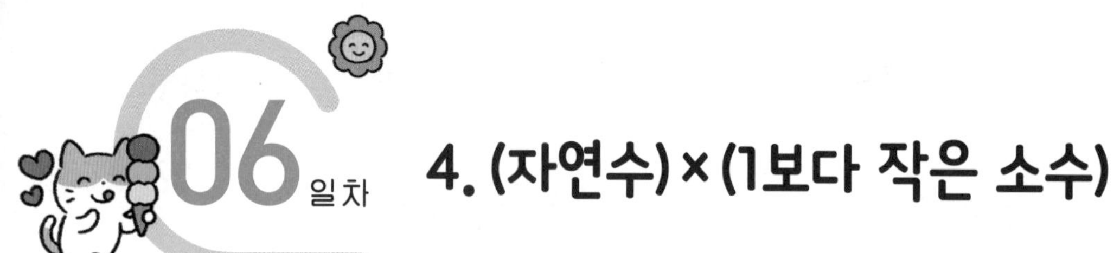

06 일차 4. (자연수) × (1보다 작은 소수)

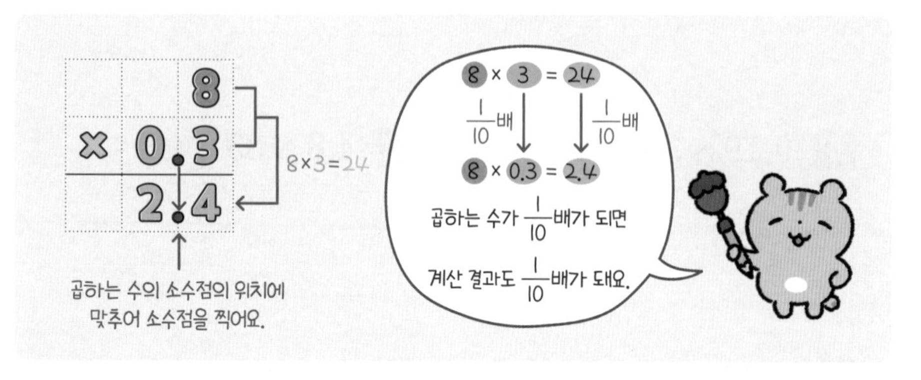

계산해 보세요.

1

		4
×	0.	8

2

		5
×	0.	3

3

		6
×	0.	6

4

		7
×	0.	9

5

		8
×	0.	2

6

	1	4
×	0.	3

7

	2	8
×	0.	2

8

	4	3
×	0.	5

9

	6	1
×	0.	8

10

	9	2
×	0.	4

11

			2
×	0.	0	7

12

			4
×	0.	8	4

13

			5
×	0.	4	9

14

			6
×	0.	7	2

15

			7
×	0.	5	1

16

			8
×	0.	2	4

17

			9
×	0.	6	7

18

		1	6
×	0.	9	2

19

		4	5
×	0.	2	7

20

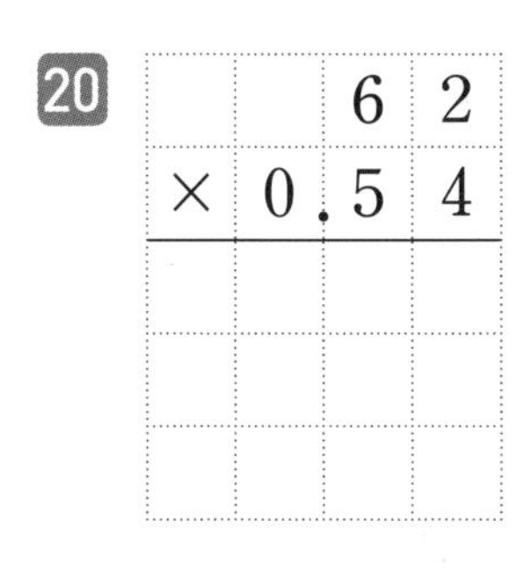

		6	2
×	0.	5	4

21

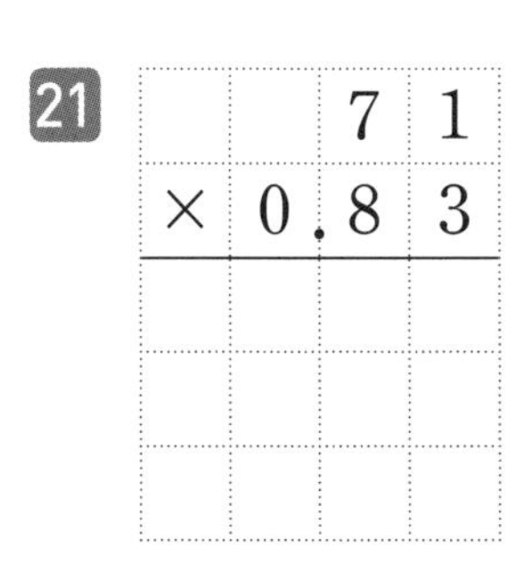

		7	1
×	0.	8	3

22

		8	9
×	0.	3	6

23 2×0.9

24 7×0.6

25 8×0.8

26 13×0.7

27 31×0.5

28 74×0.3

29 85×0.4

30 3×0.13

31 6×0.77

32 9×0.45

33 27×0.38

34 42×0.09

35 58×0.52

36 64×0.61

맞힌 개수

개 /36개

나의 학습 결과에 ○표 하세요.

맞힌 개수	0～4개	5～18개	19～32개	33～36개
학습 방법	다시 한번 풀어 봐요.	계산 연습이 필요해요.	틀린 문제를 확인해요.	실수하지 않도록 집중해요.

QR 빠른 정답 확인

07 일차 4. (자연수)×(1보다 작은 소수)

계산해 보세요.

1. $\begin{array}{r} 4 \\ \times\ 0.6 \\ \hline \end{array}$

2. $\begin{array}{r} 7 \\ \times\ 0.4 \\ \hline \end{array}$

3. $\begin{array}{r} 8 \\ \times\ 0.5 \\ \hline \end{array}$

4. $\begin{array}{r} 28 \\ \times\ 0.8 \\ \hline \end{array}$

5. $\begin{array}{r} 47 \\ \times\ 0.5 \\ \hline \end{array}$

6. $\begin{array}{r} 53 \\ \times\ 0.6 \\ \hline \end{array}$

7. $\begin{array}{r} 81 \\ \times\ 0.3 \\ \hline \end{array}$

8. $\begin{array}{r} 2 \\ \times\ 0.91 \\ \hline \end{array}$

9. $\begin{array}{r} 3 \\ \times\ 0.18 \\ \hline \end{array}$

10. $\begin{array}{r} 7 \\ \times\ 0.48 \\ \hline \end{array}$

11. $\begin{array}{r} 14 \\ \times\ 0.55 \\ \hline \end{array}$

12. $\begin{array}{r} 35 \\ \times\ 0.82 \\ \hline \end{array}$

13. $\begin{array}{r} 68 \\ \times\ 0.34 \\ \hline \end{array}$

14. $\begin{array}{r} 76 \\ \times\ 0.29 \\ \hline \end{array}$

15. 2×0.2

16. 15×0.6

17. 67×0.4

18. 4×0.71

19. 9×0.37

20. 23×0.43

21. 59×0.68

연산 in 문장제

지수가 도자기를 만드는 데 무게가 8 kg인 황토의 0.4만큼을 사용했습니다. 지수가 도자기를 만드는 데 사용한 황토의 무게는 몇 kg인지 구해 보세요.

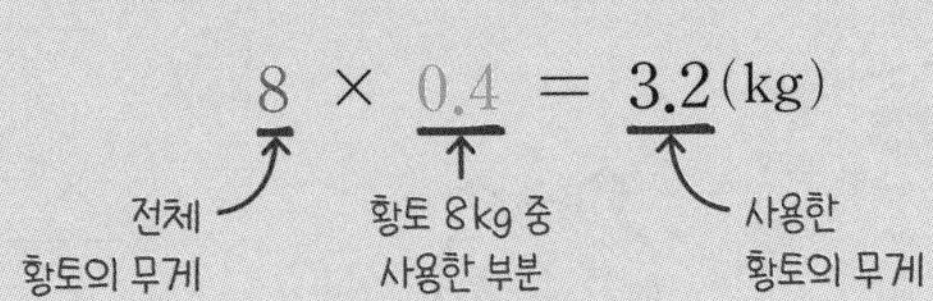

		8
×	0	. 4
	3	. 2

22 구멍이 뚫린 빈 대야에 3 L의 물을 담았습니다. 10분 후 대야에 남은 물이 처음 담은 물의 0.6만큼일 때 대야에 남은 물은 몇 L인지 구해 보세요.

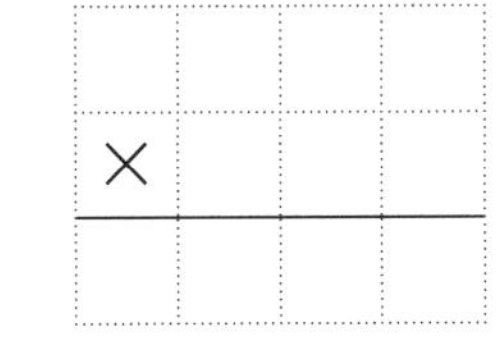

답 ______________

23 준희는 엽서를 25장 모았습니다. 그중 0.4만큼이 외국에서 사 온 엽서일 때 외국에서 사 온 엽서는 몇 장인지 구해 보세요.

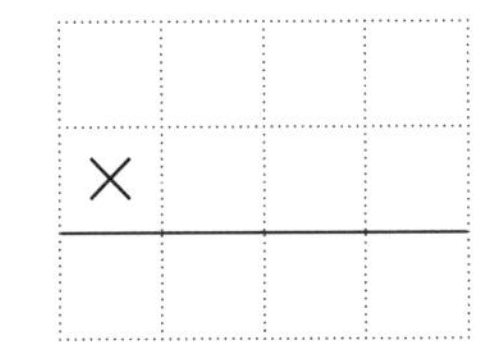

답 ______________

24 아라가 냄비 받침을 만드는 데 길이가 7 m인 털실의 0.57만큼을 사용했습니다. 아라가 냄비 받침을 만드는 데 사용한 털실의 길이는 몇 m인지 구해 보세요.

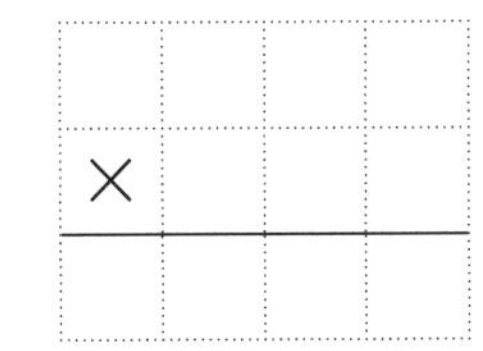

답 ______________

25 재민이의 한 달 전 몸무게는 48 kg이었습니다. 재민이가 오늘 몸무게를 다시 쟀더니 한 달 전 몸무게의 0.05만큼 줄었습니다. 한 달 동안 준 몸무게는 몇 kg인지 구해 보세요.

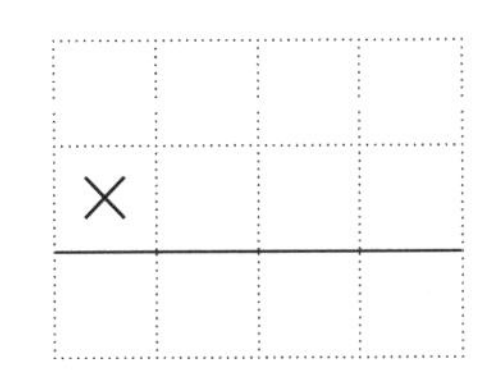

답 ______________

맞힌 개수: 개 /25개

나의 학습 결과에 ○표 하세요.

맞힌 개수	0～3개	4～13개	14～22개	23～25개
학습 방법	다시 한번 풀어 봐요.	계산 연습이 필요해요.	틀린 문제를 확인해요.	실수하지 않도록 집중해요.

5. (자연수)×(1보다 큰 소수)

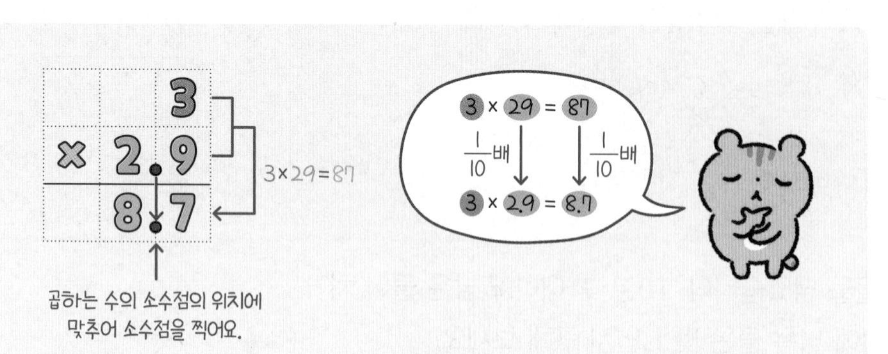

계산해 보세요.

1. 2×4.1

2. 4×6.2

3. 6×7.7

4. 7×9.9

5. 8×1.2

6. 11×2.5

7. 24×1.7

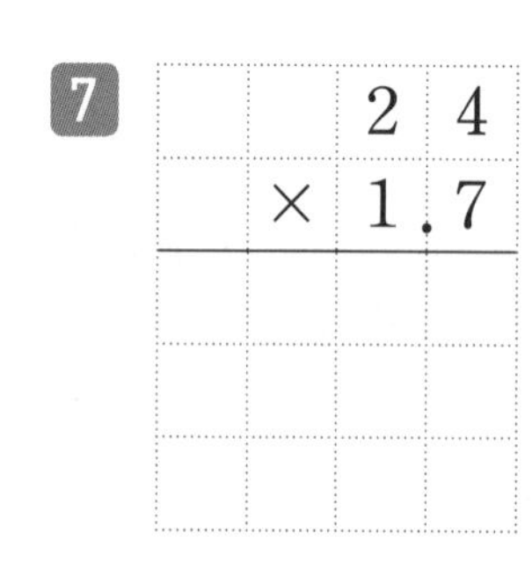

8. 39×4.8

9. 59×3.4

10. 2×2.16

11. 3×5.73

12. 4×7.38

13. 5×1.24

14. 6×4.69

15. 7×6.05

16. 9×3.52

17

			1	7
	×	3.	9	4

18

			2	8
	×	9.	5	3

19

			3	6
	×	4.	2	7

20

			6	1
	×	2.	4	5

21 3×6.5

22 5×9.6

23 9×2.4

24 16×5.3

25 40×9.5

26 76×1.9

27 83×7.5

28 2×3.65

29 7×2.71

30 8×5.23

31 25×8.31

32 32×1.48

33 64×4.19

34 91×2.02

맞힌 개수
개 /34개

나의 학습 결과에 ○표 하세요.				
맞힌 개수	0∼4개	5∼17개	18∼31개	32∼34개
학습 방법	다시 한번 풀어 봐요.	계산 연습이 필요해요.	틀린 문제를 확인해요.	실수하지 않도록 집중해요.

QR 빠른정답 확인

09 일차 5. (자연수)×(1보다 큰 소수)

계산해 보세요.

1 $\begin{array}{r} 3 \\ \times\ 5.2 \\ \hline \end{array}$

2 $\begin{array}{r} 5 \\ \times\ 4.4 \\ \hline \end{array}$

3 $\begin{array}{r} 8 \\ \times\ 2.7 \\ \hline \end{array}$

4 $\begin{array}{r} 19 \\ \times\ 6.9 \\ \hline \end{array}$

5 $\begin{array}{r} 28 \\ \times\ 3.5 \\ \hline \end{array}$

6 $\begin{array}{r} 41 \\ \times\ 5.9 \\ \hline \end{array}$

7 $\begin{array}{r} 73 \\ \times\ 1.8 \\ \hline \end{array}$

8 $\begin{array}{r} 2 \\ \times\ 3.79 \\ \hline \end{array}$

9 $\begin{array}{r} 4 \\ \times\ 5.17 \\ \hline \end{array}$

10 $\begin{array}{r} 9 \\ \times\ 2.86 \\ \hline \end{array}$

11 $\begin{array}{r} 38 \\ \times\ 1.52 \\ \hline \end{array}$

12 $\begin{array}{r} 63 \\ \times\ 8.24 \\ \hline \end{array}$

13 $\begin{array}{r} 71 \\ \times\ 3.46 \\ \hline \end{array}$

14 $\begin{array}{r} 80 \\ \times\ 2.93 \\ \hline \end{array}$

15 6×9.7

16 34×5.4

17 59×1.5

18 3×2.83

19 7×5.62

20 23×3.09

21 58×7.16

연산 in 문장제

재희가 키우는 달팽이는 1초에 9 mm를 갈 수 있습니다. 달팽이가 같은 빠르기로 7.2초 동안 갈 수 있는 거리는 몇 mm인지 구해 보세요.

$$9 \times 7.2 = 64.8(\text{mm})$$

달팽이가 1초에 갈 수 있는 거리 / 같은 빠르기로 간 시간 / 달팽이가 7.2초 동안 갈 수 있는 거리

		9
×	7.	2
6	4.	8

22 민영이는 물을 어제는 2 L 마셨고, 오늘은 어제 마신 물의 1.3배만큼 마셨습니다. 민영이가 오늘 마신 물은 모두 몇 L인지 구해 보세요. ➜

답 ____________

23 아쿠아리움에 있는 펭귄의 몸무게는 16 kg이고, 바다표범의 몸무게는 펭귄의 몸무게의 3.8배입니다. 바다표범의 몸무게는 몇 kg인지 구해 보세요. ➜

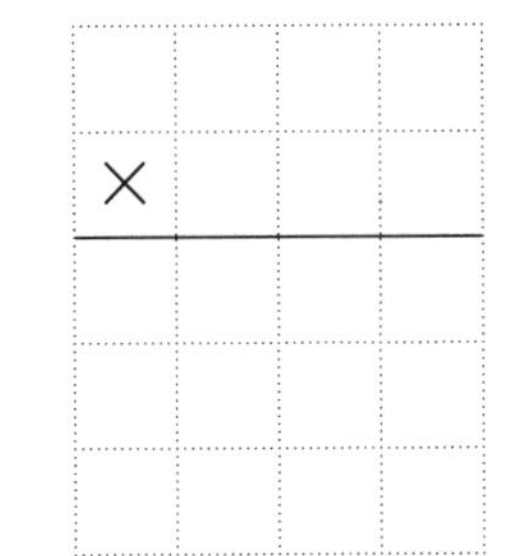

답 ____________

24 가로가 8 m이고, 세로가 6.47 m인 직사각형 모양의 화단이 있습니다. 이 화단의 넓이는 몇 m^2인지 구해 보세요. ➜

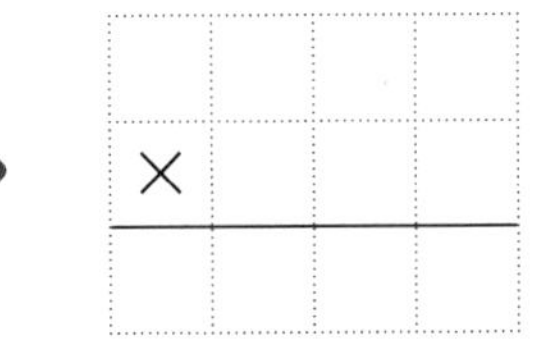

답 ____________

25 종국이는 인라인스케이트를 타고 한 시간 동안 26 km를 갈 수 있습니다. 종국이가 같은 빠르기로 3.05시간 동안 갈 수 있는 거리는 몇 km인지 구해 보세요. ➜

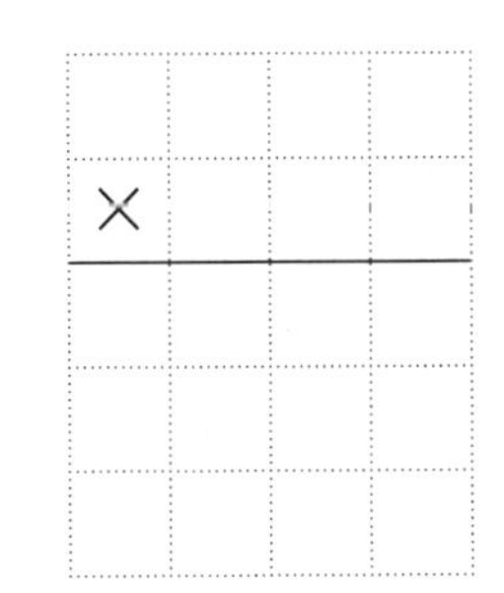

답 ____________

맞힌 개수: 개 /25개

나의 학습 결과에 ○표 하세요.

맞힌 개수	0~3개	4~13개	14~22개	23~25개
학습 방법	다시 한번 풀어 봐요.	계산 연습이 필요해요.	틀린 문제를 확인해요.	실수하지 않도록 집중해요.

QR 빠른정답 확인

6. (자연수)×(소수)

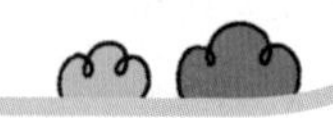

계산해 보세요.

1. $\begin{array}{r} 2 \\ \times\ 0.7 \\ \hline \end{array}$

2. $\begin{array}{r} 3 \\ \times\ 0.3 \\ \hline \end{array}$

3. $\begin{array}{r} 34 \\ \times\ 0.4 \\ \hline \end{array}$

4. $\begin{array}{r} 46 \\ \times\ 0.9 \\ \hline \end{array}$

5. $\begin{array}{r} 61 \\ \times\ 0.5 \\ \hline \end{array}$

6. $\begin{array}{r} 3 \\ \times\ 0.96 \\ \hline \end{array}$

7. $\begin{array}{r} 6 \\ \times\ 0.35 \\ \hline \end{array}$

8. $\begin{array}{r} 8 \\ \times\ 0.22 \\ \hline \end{array}$

9. $\begin{array}{r} 29 \\ \times\ 0.59 \\ \hline \end{array}$

10. $\begin{array}{r} 53 \\ \times\ 0.86 \\ \hline \end{array}$

11. $\begin{array}{r} 71 \\ \times\ 0.14 \\ \hline \end{array}$

12. $\begin{array}{r} 4 \\ \times\ 5.8 \\ \hline \end{array}$

13. $\begin{array}{r} 7 \\ \times\ 8.7 \\ \hline \end{array}$

14. $\begin{array}{r} 17 \\ \times\ 3.1 \\ \hline \end{array}$

15. $\begin{array}{r} 23 \\ \times\ 1.5 \\ \hline \end{array}$

16. $\begin{array}{r} 60 \\ \times\ 7.9 \\ \hline \end{array}$

17. $\begin{array}{r} 7 \\ \times\ 5.08 \\ \hline \end{array}$

18. $\begin{array}{r} 9 \\ \times\ 2.36 \\ \hline \end{array}$

19. $\begin{array}{r} 37 \\ \times\ 4.32 \\ \hline \end{array}$

20. $\begin{array}{r} 42 \\ \times\ 1.93 \\ \hline \end{array}$

21. $\begin{array}{r} 93 \\ \times\ 3.18 \\ \hline \end{array}$

22 3×0.9

23 6×0.5

24 11×0.7

25 26×0.8

26 54×0.3

27 4×0.16

28 7×0.42

29 9×0.64

30 33×0.53

31 80×0.39

32 94×0.15

33 2×8.2

34 8×7.4

35 49×3.7

36 67×3.9

37 70×5.7

38 2×8.46

39 5×4.73

40 35×2.19

41 58×8.05

42 67×3.51

맞힌 개수

개 /42개

나의 학습 결과에 ○표 하세요.

맞힌 개수	0~4개	5~21개	22~38개	39~42개
학습 방법	다시 한번 풀어 봐요.	계산 연습이 필요해요.	틀린 문제를 확인해요.	실수하지 않도록 집중해요.

QR 빠른 정답 확인

11일차 연산&문장제 마무리

계산해 보세요.

1 0.7×3

8 1.63×7

15 0.71×7

2 2.47×2

9 0.4×9

16 5.82×4

3 0.6×51

10 0.23×23

17 6.1×53

4 7.54×35

11 3.09×58

18 0.36×18

5 0.8×14

12 0.42×5

19 0.88×46

6 0.68×3

13 8.7×39

20 7.3×8

7 5.7×6

14 5.3×42

21 4.86×24

22 5×0.8

23 72×0.53

24 25×0.2

25 38×7.1

26 36×0.7

27 7×0.5

28 4×1.43

29 9×0.32

30 7×5.07

31 61×4.54

32 28×9.4

33 41×0.3

34 3×6.7

35 8×4.2

36 97×0.4

37 6×0.74

38 54×0.06

39 43×2.3

40 2×0.46

41 9×8.26

42 82×5.6

43 63×0.19

44 56×2.92

45 29×7.61

정답 28쪽

46 선화는 윗몸 일으키기를 한 번 하는 데 0.7초가 걸립니다. 선화가 같은 빠르기로 윗몸 일으키기를 48번 하는 데 걸리는 시간은 몇 초인지 구해 보세요.

답 ____________

47 공기 중에서 소리는 1초에 약 0.34 km를 간다고 합니다. 공기 중에서 소리가 5초 동안 가는 거리는 약 몇 km인지 구해 보세요.

답 ____________

48 볼링공 한 개의 무게는 6.35 kg입니다. 똑같은 볼링공 27개의 무게는 모두 몇 kg인지 구해 보세요.

답 ____________

49 현아가 92 cm의 높이에서 공을 떨어뜨렸더니 공이 떨어진 높이의 0.6만큼 튀어 올랐습니다. 공이 튀어 오른 높이는 몇 cm인지 구해 보세요.

답 ____________

50 큰 냄비에 물 6 L를 넣고 한 시간 동안 끓였더니 물의 0.17만큼이 증발했습니다. 증발한 물은 몇 L인지 구해 보세요.

답 ____________

51 밑변의 길이가 9 cm이고, 높이가 6.3 cm인 평행사변형 모양의 종이가 있습니다. 이 종이의 넓이는 몇 cm^2인지 구해 보세요.

답 ____________

52 솜사탕 가게에서 어제 솜사탕을 56개 팔았습니다. 오늘 판 솜사탕 수가 어제 판 솜사탕 수의 1.75배일 때 오늘 판 솜사탕은 모두 몇 개인지 구해 보세요.

답 ____________

연산 노트

맞힌 개수

개 /52개

나의 학습 결과에 ○표 하세요.

맞힌 개수	0~5개	6~26개	27~47개	48~52개
학습 방법	다시 한번 풀어 봐요.	계산 연습이 필요해요.	틀린 문제를 확인해요.	실수하지 않도록 집중해요.

QR 빠른 정답 확인

6

소수의 곱셈 (2)

학습 주제	학습 일차	맞힌 개수
1. (1보다 작은 소수)×(1보다 작은 소수)	01일차	/36
	02일차	/25
2. (1보다 큰 소수)×(1보다 큰 소수)	03일차	/30
	04일차	/25
3. (1보다 작은 소수)×(1보다 큰 소수)	05일차	/33
	06일차	/25
4. (1보다 큰 소수)×(1보다 작은 소수)	07일차	/35
	08일차	/25
5. (소수)×(소수)	09일차	/42
6. 곱의 소수점의 위치 (1)	10일차	/26
	11일차	/25
7. 곱의 소수점의 위치 (2)	12일차	/27
	13일차	/22
연산 & 문장제 마무리	14일차	/50

01 일차 1. (1보다 작은 소수)×(1보다 작은 소수)

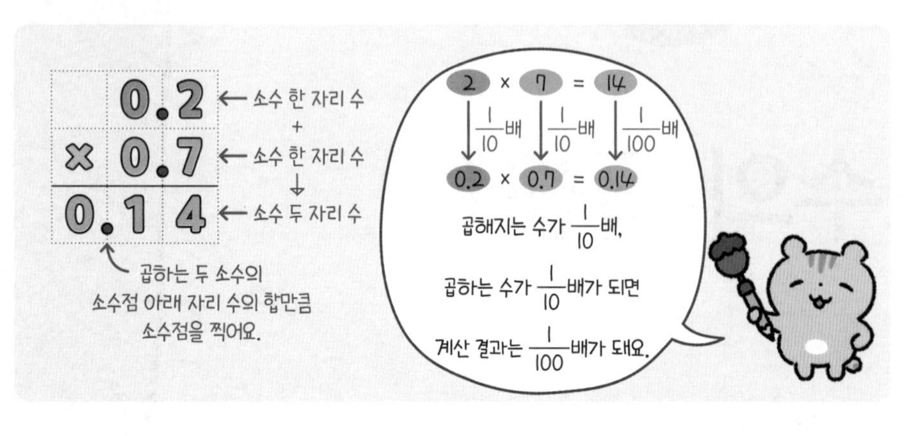

계산해 보세요.

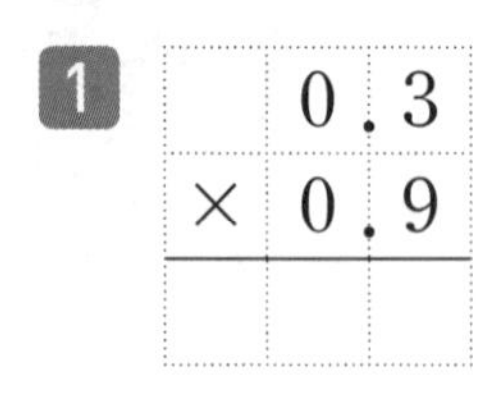

1. 0.3×0.9

2. 0.4×0.5

3. 0.6×0.4

4. 0.7×0.8

5. 0.9×0.9

6. 0.2×0.19

7. 0.3×0.27

8. 0.5×0.36

9. 0.6×0.42

10. 0.8×0.24

11. 0.04×0.7

12. 0.09×0.6

13. 0.18×0.3

14. 0.21×0.4

15. 0.45×0.8

16. 0.67×0.5

17. 0.76×0.2

18
$$\begin{array}{r} 0.13 \\ \times\ 0.12 \\ \hline \end{array}$$

19
$$\begin{array}{r} 0.22 \\ \times\ 0.17 \\ \hline \end{array}$$

20
$$\begin{array}{r} 0.39 \\ \times\ 0.23 \\ \hline \end{array}$$

21
$$\begin{array}{r} 0.46 \\ \times\ 0.28 \\ \hline \end{array}$$

22
$$\begin{array}{r} 0.64 \\ \times\ 0.35 \\ \hline \end{array}$$

23 0.2×0.4

24 0.3×0.6

25 0.5×0.7

26 0.8×0.5

27 0.4×0.43

28 0.7×0.25

29 0.9×0.38

30 0.14×0.6

31 0.26×0.2

32 0.55×0.9

33 0.61×0.7

34 0.16×0.33

35 0.34×0.48

36 0.59×0.15

맞힌 개수

개 /36개

나의 학습 결과에 ○표 하세요.

맞힌 개수	0～4개	5～18개	19～32개	33～36개
학습 방법	다시 한번 풀어 봐요.	계산 연습이 필요해요.	틀린 문제를 확인해요.	실수하지 않도록 집중해요.

QR 빠른 정답 확인

1. (1보다 작은 소수)×(1보다 작은 소수)

계산해 보세요.

1 $\begin{array}{r} 0.2 \\ \times\ 0.6 \\ \hline \end{array}$

2 $\begin{array}{r} 0.5 \\ \times\ 0.5 \\ \hline \end{array}$

3 $\begin{array}{r} 0.8 \\ \times\ 0.4 \\ \hline \end{array}$

4 $\begin{array}{r} 0.9 \\ \times\ 0.7 \\ \hline \end{array}$

5 $\begin{array}{r} 0.4 \\ \times\ 0.29 \\ \hline \end{array}$

6 $\begin{array}{r} 0.6 \\ \times\ 0.17 \\ \hline \end{array}$

7 $\begin{array}{r} 0.7 \\ \times\ 0.33 \\ \hline \end{array}$

8 $\begin{array}{r} 0.15 \\ \times\ 0.8 \\ \hline \end{array}$

9 $\begin{array}{r} 0.37 \\ \times\ 0.5 \\ \hline \end{array}$

10 $\begin{array}{r} 0.52 \\ \times\ 0.9 \\ \hline \end{array}$

11 $\begin{array}{r} 0.71 \\ \times\ 0.3 \\ \hline \end{array}$

12 $\begin{array}{r} 0.27 \\ \times\ 0.32 \\ \hline \end{array}$

13 $\begin{array}{r} 0.42 \\ \times\ 0.19 \\ \hline \end{array}$

14 $\begin{array}{r} 0.58 \\ \times\ 0.45 \\ \hline \end{array}$

15 0.9×0.8

16 0.3×0.34

17 0.6×0.55

18 0.25×0.3

19 0.62×0.7

20 0.38×0.41

21 0.79×0.24

연산 in 문장제

민준이는 딸기주스 0.5 L의 0.3만큼을 마셨습니다. 민준이가 마신 딸기주스는 몇 L인지 구해 보세요.

$$0.5 \times 0.3 = 0.15(\mathrm{L})$$

전체 딸기주스의 양 / 딸기주스 0.5 L 중 민준이가 마신 부분 / 민준이가 마신 딸기주스의 양

	0	. 5
×	0	. 3
0	. 1	5

22 유나는 가로가 0.7 m이고, 세로가 0.4 m인 직사각형 모양의 종이에 그림을 그렸습니다. 유나가 그림을 그린 종이의 넓이는 몇 m^2인지 구해 보세요. →

답 ______________

23 서준이가 과자를 만드는 데 밀가루 0.8 kg의 0.43만큼을 사용했습니다. 서준이가 과자를 만드는 데 사용한 밀가루는 몇 kg인지 구해 보세요. →

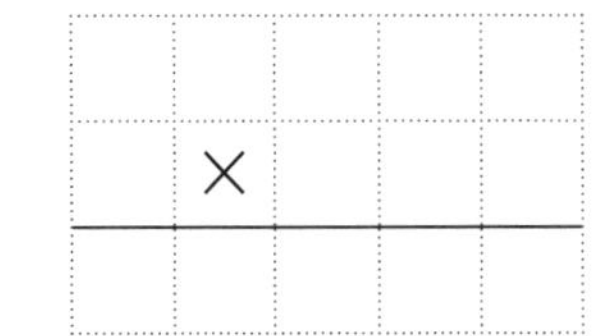

답 ______________

24 수민이네 집에서 지효네 집까지의 거리는 0.65 km입니다. 수민이가 집에서 출발하여 전체 거리의 0.3만큼을 걸어가서 지효를 만났습니다. 수민이가 걸어간 거리는 몇 km인지 구해 보세요. →

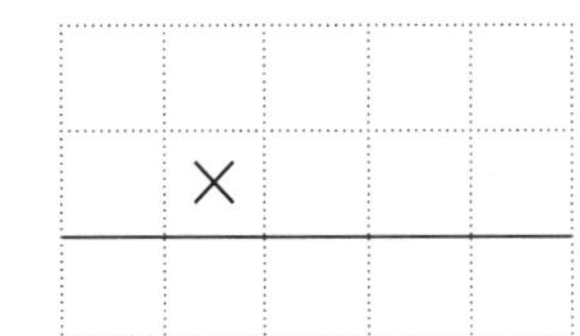

답 ______________

25 밑변의 길이가 0.77 m이고, 높이가 0.59 m인 평행사변형 모양의 화단이 있습니다. 이 화단의 넓이는 몇 m^2인지 구해 보세요. →

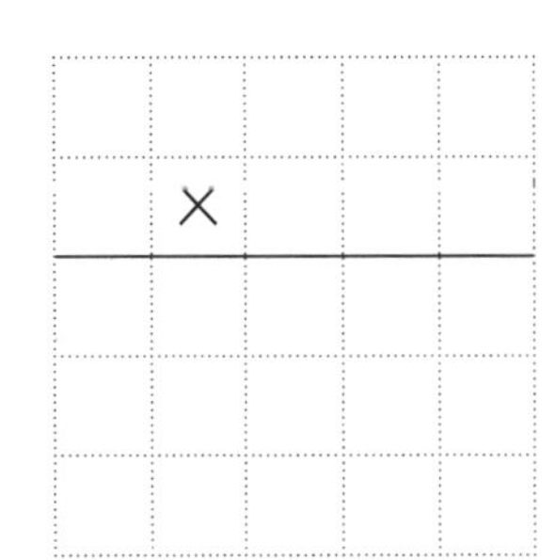

답 ______________

맞힌 개수 개 /25개

나의 학습 결과에 ○표 하세요.

맞힌 개수	0~3개	4~13개	14~22개	23~25개
학습 방법	다시 한번 풀어 봐요.	계산 연습이 필요해요.	틀린 문제를 확인해요.	실수하지 않도록 집중해요.

QR 빠른 정답 확인

03 일차 2. (1보다 큰 소수)×(1보다 큰 소수)

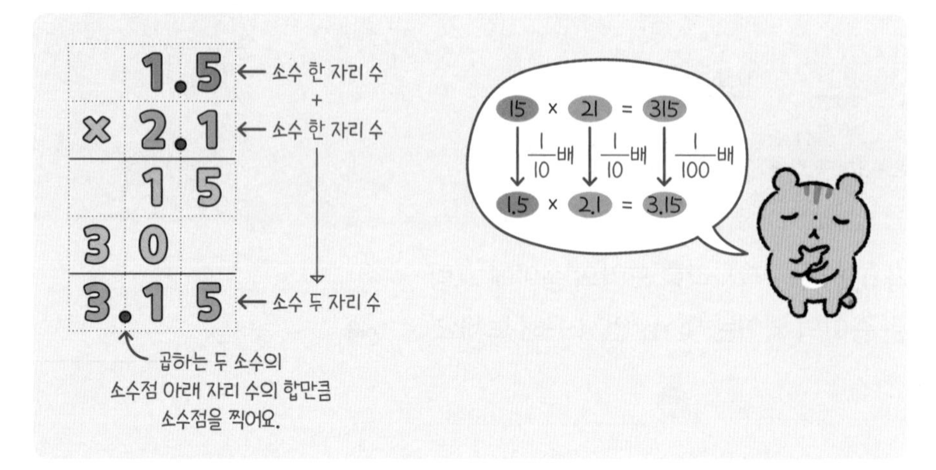

계산해 보세요.

1

$$\begin{array}{r} 1.7 \\ \times\ 1.4 \\ \hline \end{array}$$

2

$$\begin{array}{r} 2.3 \\ \times\ 1.8 \\ \hline \end{array}$$

3

$$\begin{array}{r} 3.5 \\ \times\ 2.2 \\ \hline \end{array}$$

4

$$\begin{array}{r} 5.4 \\ \times\ 4.5 \\ \hline \end{array}$$

5

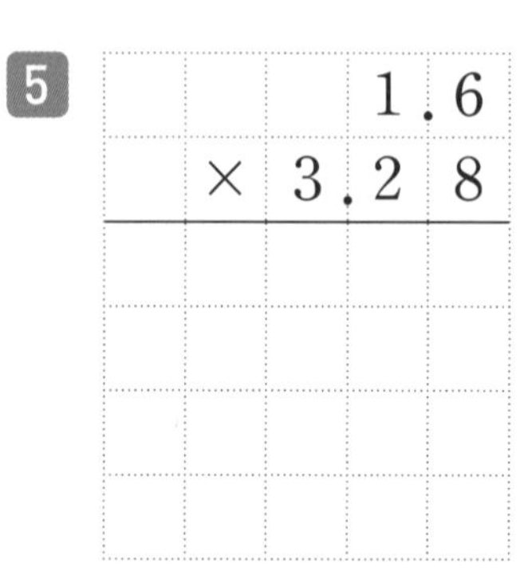

6

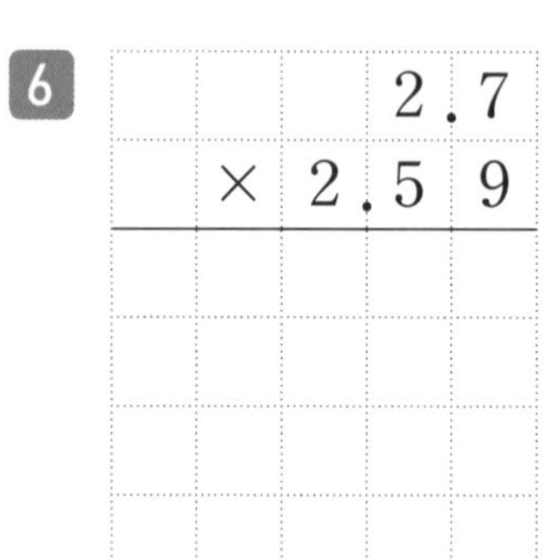

7

$$\begin{array}{r} 4.3 \\ \times\ 3.57 \\ \hline \end{array}$$

8

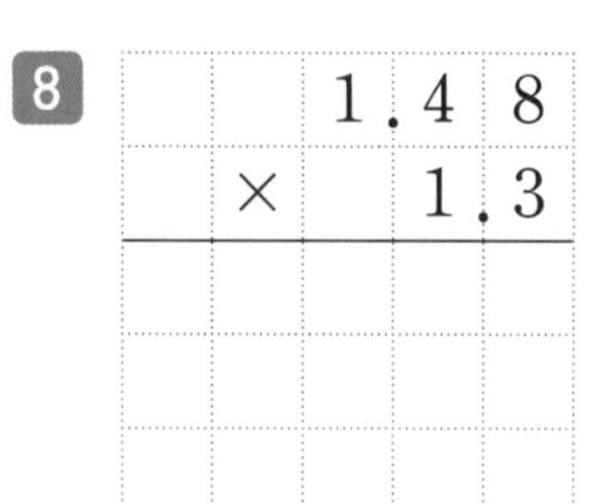

9

$$\begin{array}{r} 3.62 \\ \times\ 2.9 \\ \hline \end{array}$$

10

$$\begin{array}{r} 5.19 \\ \times\ 2.5 \\ \hline \end{array}$$

11

$$\begin{array}{r} 7.35 \\ \times\ 4.4 \\ \hline \end{array}$$

12

$$\begin{array}{r} 8.39 \\ \times\ 3.6 \\ \hline \end{array}$$

13
			1	.5	6
		×	2	.3	7

14
			2	.8	3
		×	2	.1	9

15
			3	.1	8
		×	4	.2	4

16
			5	.9	6
		×	3	.3	5

17 2.6×1.2

18 4.9×3.7

19 5.7×2.4

20 6.3×4.8

21 1.9×5.14

22 4.1×2.97

23 7.2×1.86

24 2.43×4.6

25 3.65×5.2

26 5.28×3.9

27 9.47×2.8

28 2.56×3.29

29 4.72×1.87

30 5.07×3.52

맞힌 개수

개 /30개

나의 학습 결과에 ○표 하세요.

맞힌 개수	0~3개	4~15개	16~27개	28~30개
학습 방법	다시 한번 풀어 봐요.	계산 연습이 필요해요.	틀린 문제를 확인해요.	실수하지 않도록 집중해요.

QR 빠른 정답 확인

04일차 2. (1보다 큰 소수)×(1보다 큰 소수)

계산해 보세요.

1 $\begin{array}{r} 1.8 \\ \times\ 3.1 \\ \hline \end{array}$

2 $\begin{array}{r} 2.7 \\ \times\ 2.2 \\ \hline \end{array}$

3 $\begin{array}{r} 3.3 \\ \times\ 4.6 \\ \hline \end{array}$

4 $\begin{array}{r} 5.8 \\ \times\ 3.9 \\ \hline \end{array}$

5 $\begin{array}{r} 2.5 \\ \times\ 1.74 \\ \hline \end{array}$

6 $\begin{array}{r} 3.4 \\ \times\ 2.76 \\ \hline \end{array}$

7 $\begin{array}{r} 6.8 \\ \times\ 3.93 \\ \hline \end{array}$

8 $\begin{array}{r} 1.95 \\ \times\ 2.6 \\ \hline \end{array}$

9 $\begin{array}{r} 3.48 \\ \times\ 3.2 \\ \hline \end{array}$

10 $\begin{array}{r} 5.63 \\ \times\ 1.7 \\ \hline \end{array}$

11 $\begin{array}{r} 7.39 \\ \times\ 4.8 \\ \hline \end{array}$

12 $\begin{array}{r} 2.46 \\ \times\ 1.64 \\ \hline \end{array}$

13 $\begin{array}{r} 4.52 \\ \times\ 2.77 \\ \hline \end{array}$

14 $\begin{array}{r} 5.18 \\ \times\ 3.36 \\ \hline \end{array}$

15 3.6×2.3

16 2.8×1.97

17 4.2×3.45

18 3.94×1.6

19 6.17×3.5

20 2.28×4.57

21 5.73×5.46

연산 in 문장제

가로가 2.4 m이고, 세로가 1.3 m인 직사각형 모양의 매트가 있습니다. 이 매트의 넓이는 몇 m^2인지 구해 보세요.

$2.4 \times 1.3 = 3.12(m^2)$

2.4 ← 가로, 1.3 ← 세로, 3.12 ← 넓이

	2	.4
×	1	.3
	7	2
2	4	
3	.1	2

22 페인트가 한 통에 3.8 L 들어 있습니다. 벽을 칠하는 데 페인트 한 통의 2.9배만큼을 사용했다면 벽을 칠하는 데 사용한 페인트는 모두 몇 L인지 구해 보세요. →

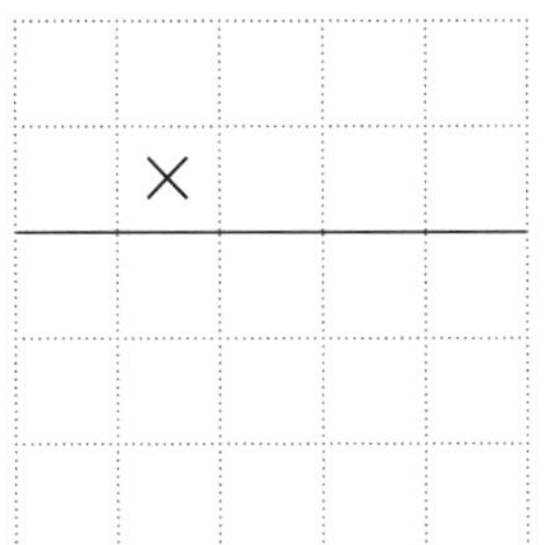

답 ________

23 텃밭에서 방울토마토를 어제는 4.7 kg 수확했고, 오늘은 어제의 3.04배만큼 수확했습니다. 오늘 수확한 방울토마토는 모두 몇 kg인지 구해 보세요. →

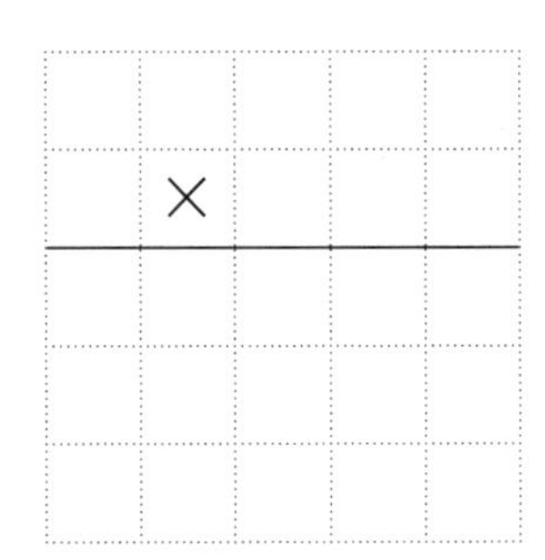

답 ________

24 굵기가 일정한 통나무 1 m의 무게가 5.64 kg입니다. 이 통나무 3.7 m의 무게는 몇 kg인지 구해 보세요. →

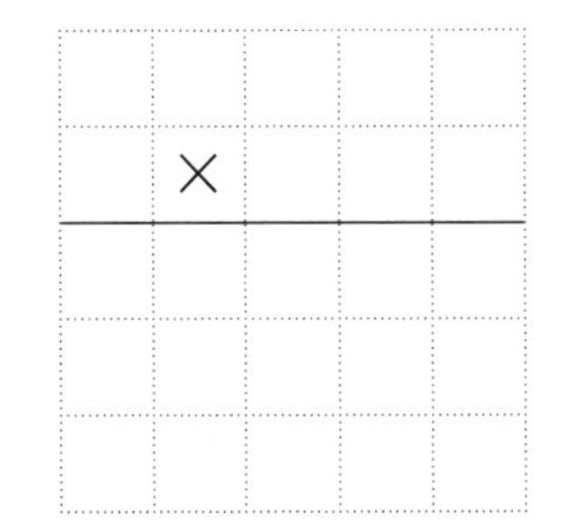

답 ________

25 길이가 6.07 cm인 용수철에 추를 매달았더니 처음 길이의 1.49배가 되었습니다. 추를 매달은 용수철의 길이는 몇 cm인지 구해 보세요. →

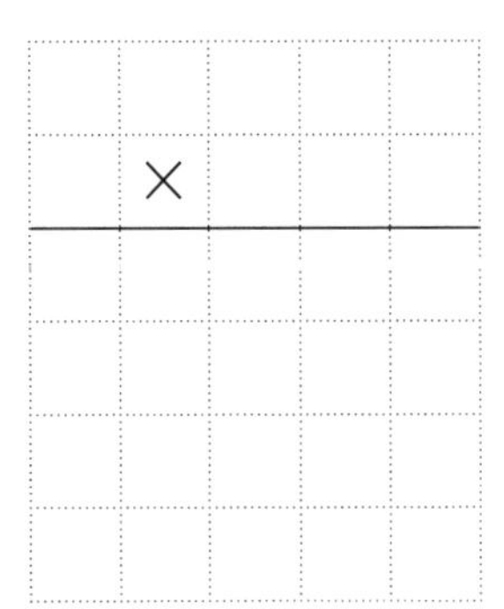

답 ________

맞힌 개수: 개 /25개

나의 학습 결과에 ○표 하세요.

맞힌 개수	0~3개	4~13개	14~22개	23~25개
학습 방법	다시 한번 풀어 봐요.	계산 연습이 필요해요.	틀린 문제를 확인해요.	실수하지 않도록 집중해요.

QR 빠른 정답 확인

3. (1보다 작은 소수)×(1보다 큰 소수)

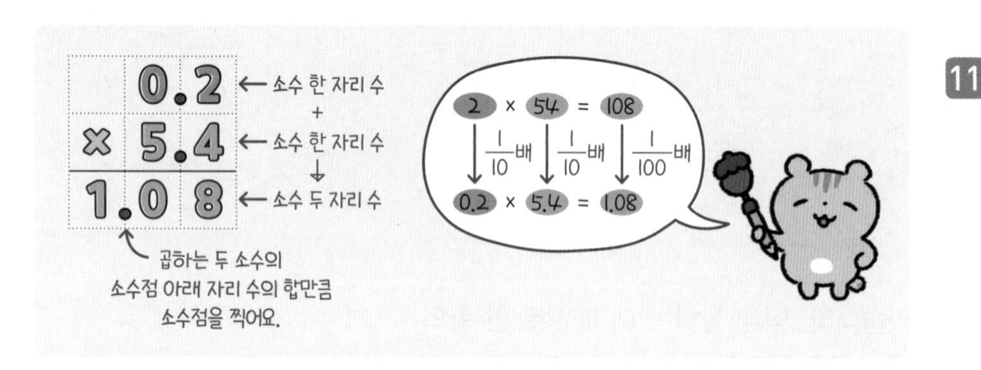

● 계산해 보세요.

1 0.3×1.9

2 0.4×2.6

3 0.6×1.3

4 0.7×4.5

5 0.8×3.4

6 0.2×2.16

7 0.4×5.61

8 0.5×1.74

9 0.7×3.08

10 0.9×2.58

11 0.28×1.6

12 0.34×2.3

13 0.52×3.5

14 0.69×4.6

15 0.73×2.8

16
		0.	1	2
	×	2.	6	7

17
		0.	2	5
	×	1.	5	9

18
		0.	4	7
	×	2.	3	8

19
		0.	6	3
	×	3.	2	6

20 0.2×2.7

21 0.5×3.6

22 0.7×1.8

23 0.8×4.3

24 0.4×1.73

25 0.6×3.17

26 0.9×2.04

27 0.38×1.5

28 0.53×2.4

29 0.65×7.7

30 0.94×3.1

31 0.39×2.86

32 0.58×3.27

33 0.76×2.98

맞힌 개수

개 /33개

나의 학습 결과에 ○표 하세요.

맞힌 개수	0～3개	4～17개	18～30개	31～33개
학습 방법	다시 한번 풀어 봐요.	계산 연습이 필요해요.	틀린 문제를 확인해요.	실수하지 않도록 집중해요.

QR 빠른 정답 확인

3. (1보다 작은 소수)×(1보다 큰 소수)

계산해 보세요.

1 $\begin{array}{r} 0.2 \\ \times\ 4.2 \\ \hline \end{array}$

2 $\begin{array}{r} 0.4 \\ \times\ 1.8 \\ \hline \end{array}$

3 $\begin{array}{r} 0.7 \\ \times\ 2.6 \\ \hline \end{array}$

4 $\begin{array}{r} 0.9 \\ \times\ 3.7 \\ \hline \end{array}$

5 $\begin{array}{r} 0.3 \\ \times\ 1.58 \\ \hline \end{array}$

6 $\begin{array}{r} 0.5 \\ \times\ 2.94 \\ \hline \end{array}$

7 $\begin{array}{r} 0.8 \\ \times\ 3.19 \\ \hline \end{array}$

8 $\begin{array}{r} 0.17 \\ \times\ 4.5 \\ \hline \end{array}$

9 $\begin{array}{r} 0.46 \\ \times\ 2.1 \\ \hline \end{array}$

10 $\begin{array}{r} 0.75 \\ \times\ 3.2 \\ \hline \end{array}$

11 $\begin{array}{r} 0.89 \\ \times\ 6.3 \\ \hline \end{array}$

12 $\begin{array}{r} 0.44 \\ \times\ 4.05 \\ \hline \end{array}$

13 $\begin{array}{r} 0.57 \\ \times\ 3.54 \\ \hline \end{array}$

14 $\begin{array}{r} 0.86 \\ \times\ 2.49 \\ \hline \end{array}$

15 0.3×2.9

16 0.4×1.96

17 0.6×2.47

18 0.24×5.5

19 0.56×3.8

20 0.64×1.92

21 0.79×3.75

연산 in 문장제

1분에 0.5 cm씩 일정한 빠르기로 타는 양초가 있습니다. 이 양초가 1.7분 동안 탄 길이는 몇 cm인지 구해 보세요.

$0.5 \times 1.7 = 0.85$(cm)

- 0.5: 양초가 1분 동안 타는 길이
- 1.7: 일정한 빠르기로 탄 시간
- 0.85: 양초가 1.7분 동안 탄 길이

	0.	5
×	1.	7
0.	8	5

22 우유를 현우는 0.4 L 마셨고, 지윤이는 현우가 마신 우유의 1.6배만큼 마셨습니다. 지윤이가 마신 우유는 몇 L인지 구해 보세요.

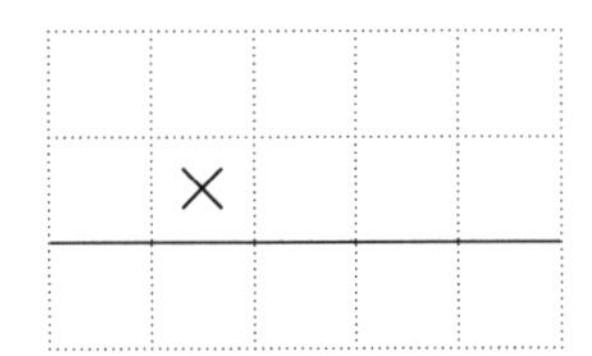

답 ____________

23 주말농장에서 딸기를 유림이는 0.6 kg 땄고, 주아는 유림이가 딴 딸기의 2.23배만큼 땄습니다. 주아가 딴 딸기는 몇 kg인지 구해 보세요.

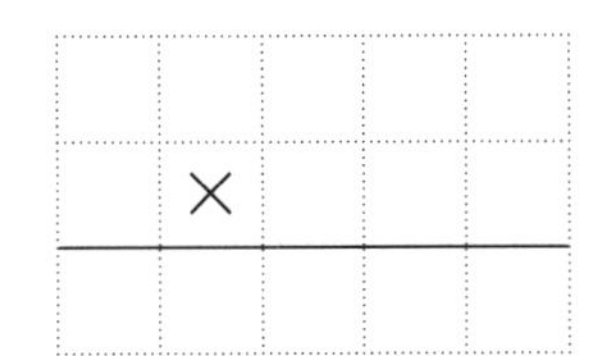

답 ____________

24 하영이가 페인트로 가로가 0.37 m이고, 세로가 3.6 m인 직사각형 모양의 벽을 칠했습니다. 하영이가 페인트로 칠한 벽의 넓이는 몇 m^2인지 구해 보세요.

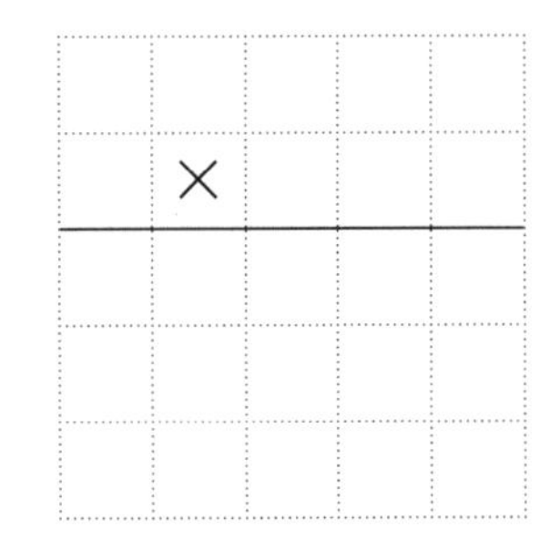

답 ____________

25 길이가 0.84 m인 고무줄을 양쪽에서 잡아당겼더니 처음 길이의 1.75배가 되었습니다. 잡아당긴 고무줄의 길이는 몇 m인지 구해 보세요.

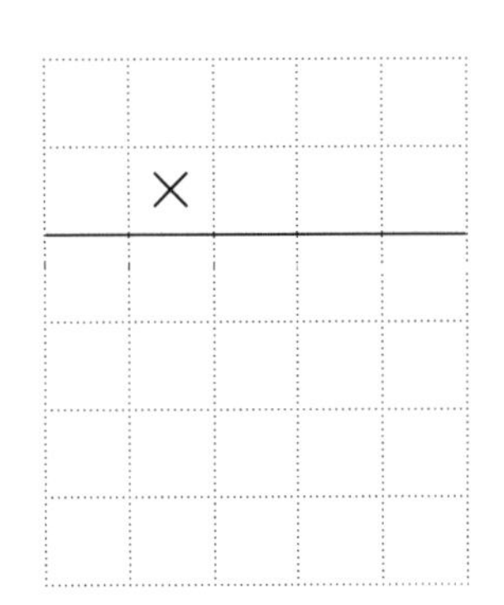

답 ____________

맞힌 개수: 개 /25개

나의 학습 결과에 ○표 하세요.

맞힌 개수	0~3개	4~13개	14~22개	23~25개
학습 방법	다시 한번 풀어 봐요.	계산 연습이 필요해요.	틀린 문제를 확인해요.	실수하지 않도록 집중해요.

QR 빠른 정답 확인

4. (1보다 큰 소수)×(1보다 작은 소수)

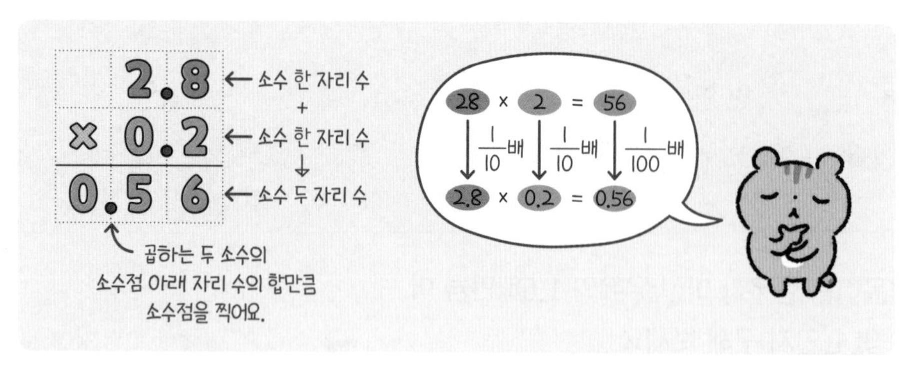

계산해 보세요.

1

	1.	2
×	0.	4

2

	2.	7
×	0.	6

3

	4.	6
×	0.	3

4

	6.	7
×	0.	8

5

	8.	4
×	0.	7

6

		1.	5
×	0.	1	4

7

		3.	2
×	0.	2	3

8

		5.	7
×	0.	1	8

9

		7.	4
×	0.	2	9

10

	1.	7	3
×		0.	7

11

	2.	7	6
×		0.	9

12

	3.	2	8
×		0.	3

13

	4.	0	7
×		0.	4

14

	5.	4	2
×		0.	6

15

	6.	2	8
×		0.	5

16

	7.	1	4
×		0.	2

17

		2	. 4	3
	×	0	. 1	9

18

		3	. 8	2
	×	0	. 2	1

19

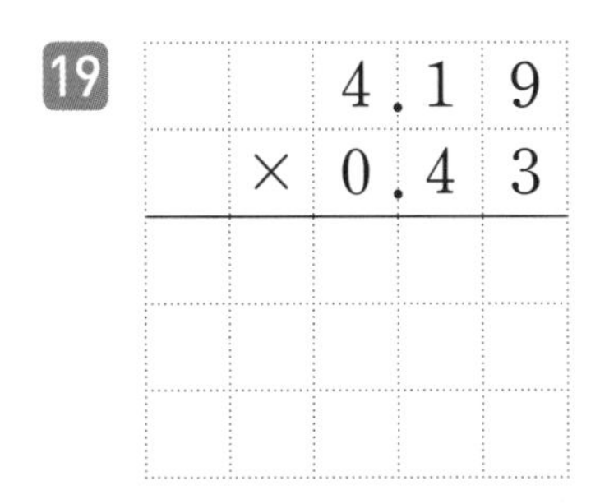

		4	. 1	9
	×	0	. 4	3

20

		5	. 2	7
	×	0	. 3	6

21

		6	. 5	4
	×	0	. 2	2

22 1.4×0.6

23 4.7×0.8

24 7.3×0.7

25 8.2×0.5

26 1.8×0.46

27 3.5×0.26

28 6.3×0.53

29 2.17×0.4

30 3.64×0.2

31 5.86×0.9

32 6.76×0.3

33 2.94×0.16

34 6.37×0.38

35 7.42×0.27

맞힌 개수

개 /35개

나의 학습 결과에 ○표 하세요.

맞힌 개수	0~4개	5~18개	19~31개	32~35개
학습 방법	다시 한번 풀어 봐요.	계산 연습이 필요해요.	틀린 문제를 확인해요.	실수하지 않도록 집중해요.

QR 빠른 정답 확인

4. (1보다 큰 소수)×(1보다 작은 소수)

계산해 보세요.

1 $\begin{array}{r} 2.5 \\ \times\ 0.7 \\ \hline \end{array}$

2 $\begin{array}{r} 3.8 \\ \times\ 0.6 \\ \hline \end{array}$

3 $\begin{array}{r} 6.2 \\ \times\ 0.5 \\ \hline \end{array}$

4 $\begin{array}{r} 9.6 \\ \times\ 0.4 \\ \hline \end{array}$

5 $\begin{array}{r} 1.7 \\ \times\ 0.62 \\ \hline \end{array}$

6 $\begin{array}{r} 4.3 \\ \times\ 0.15 \\ \hline \end{array}$

7 $\begin{array}{r} 7.8 \\ \times\ 0.33 \\ \hline \end{array}$

8 $\begin{array}{r} 3.26 \\ \times\ 0.2 \\ \hline \end{array}$

9 $\begin{array}{r} 5.08 \\ \times\ 0.8 \\ \hline \end{array}$

10 $\begin{array}{r} 8.27 \\ \times\ 0.3 \\ \hline \end{array}$

11 $\begin{array}{r} 9.84 \\ \times\ 0.4 \\ \hline \end{array}$

12 $\begin{array}{r} 3.47 \\ \times\ 0.37 \\ \hline \end{array}$

13 $\begin{array}{r} 5.29 \\ \times\ 0.25 \\ \hline \end{array}$

14 $\begin{array}{r} 6.18 \\ \times\ 0.49 \\ \hline \end{array}$

15 4.9×0.9

16 5.3×0.28

17 8.6×0.17

18 4.73×0.5

19 7.76×0.4

20 6.19×0.34

21 9.24×0.12

연산 in 문장제

지훈이는 화단에 물을 주는 데 물 2.9 L의 0.4만큼을 사용했습니다. 지훈이가 화단에 준 물은 몇 L인지 구해 보세요.

$2.9 \times 0.4 = 1.16$(L)

2.9: 전체 물의 양 / 0.4: 물 2.9 L 중 사용한 부분 / 1.16: 화단에 준 물의 양

	2	9
×	0	4
1	1	6

22 서희네 가족은 콩 3.6 kg을 수확하여 그중 0.7만큼을 이웃에게 나누어 주었습니다. 서희네 가족이 이웃에게 나누어 준 콩은 몇 kg인지 구해 보세요.

 답 ____________

23 지우는 선물 상자를 포장하는 데 길이가 5.8 m인 리본의 0.42만큼을 사용했습니다. 지우가 선물 상자를 포장하는 데 사용한 리본의 길이는 몇 m인지 구해 보세요.

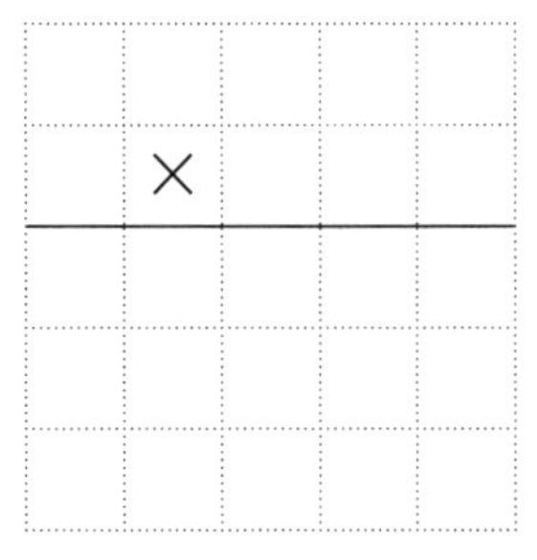

답 ____________

24 선호네 집에서 학교까지의 거리는 7.46 km입니다. 선호가 집에서 출발하여 학교까지 가는데 전체 거리의 0.8만큼 지하철을 타고 갔습니다. 선호가 지하철을 타고 간 거리는 몇 km인지 구해 보세요.

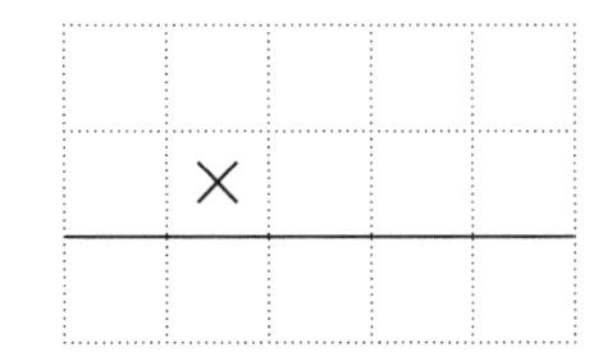

 답 ____________

25 민희네 부엌에 있는 밀가루 한 봉지는 9.54 kg입니다. 그중 0.65만큼이 탄수화물 성분일 때 탄수화물 성분이 몇 kg인지 구해 보세요.

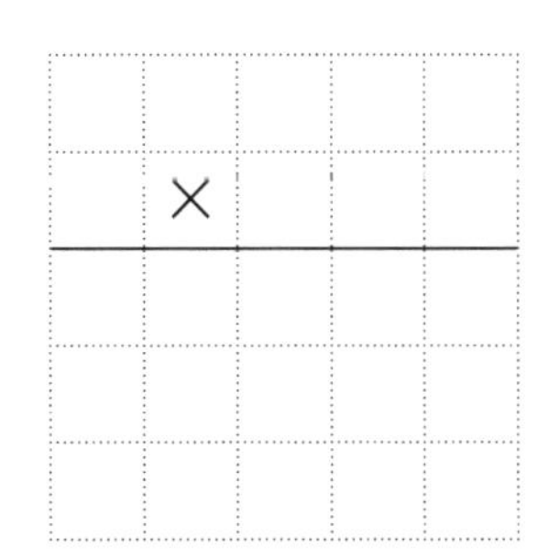

 답 ____________

맞힌 개수: 개 /25개

나의 학습 결과에 ○표 하세요.

맞힌 개수	0~3개	4~13개	14~22개	23~25개
학습 방법	다시 한번 풀어 봐요.	계산 연습이 필요해요.	틀린 문제를 확인해요.	실수하지 않도록 집중해요.

QR 빠른 정답 확인

5. (소수)×(소수)

계산해 보세요.

1. $\begin{array}{r} 0.9 \\ \times\ 0.2 \\ \hline \end{array}$

2. $\begin{array}{r} 0.5 \\ \times\ 0.29 \\ \hline \end{array}$

3. $\begin{array}{r} 0.32 \\ \times\ 0.7 \\ \hline \end{array}$

4. $\begin{array}{r} 0.28 \\ \times\ 0.35 \\ \hline \end{array}$

5. $\begin{array}{r} 0.43 \\ \times\ 0.46 \\ \hline \end{array}$

6. $\begin{array}{r} 2.3 \\ \times\ 1.1 \\ \hline \end{array}$

7. $\begin{array}{r} 6.7 \\ \times\ 3.4 \\ \hline \end{array}$

8. $\begin{array}{r} 4.6 \\ \times\ 2.26 \\ \hline \end{array}$

9. $\begin{array}{r} 4.25 \\ \times\ 2.8 \\ \hline \end{array}$

10. $\begin{array}{r} 7.32 \\ \times\ 1.94 \\ \hline \end{array}$

11. $\begin{array}{r} 0.4 \\ \times\ 3.3 \\ \hline \end{array}$

12. $\begin{array}{r} 0.5 \\ \times\ 1.85 \\ \hline \end{array}$

13. $\begin{array}{r} 0.54 \\ \times\ 2.7 \\ \hline \end{array}$

14. $\begin{array}{r} 0.68 \\ \times\ 1.6 \\ \hline \end{array}$

15. $\begin{array}{r} 0.36 \\ \times\ 2.45 \\ \hline \end{array}$

16. $\begin{array}{r} 1.9 \\ \times\ 0.6 \\ \hline \end{array}$

17. $\begin{array}{r} 2.4 \\ \times\ 0.17 \\ \hline \end{array}$

18. $\begin{array}{r} 7.7 \\ \times\ 0.12 \\ \hline \end{array}$

19. $\begin{array}{r} 3.35 \\ \times\ 0.3 \\ \hline \end{array}$

20. $\begin{array}{r} 5.26 \\ \times\ 0.8 \\ \hline \end{array}$

21. $\begin{array}{r} 4.39 \\ \times\ 0.42 \\ \hline \end{array}$

22 0.3×0.8

23 0.5×0.6

24 0.2×0.34

25 0.57×0.9

26 0.19×0.14

27 0.74×0.27

28 3.9×2.5

29 1.4×3.58

30 4.16×1.8

31 2.94×2.38

32 5.17×2.84

33 0.2×5.7

34 0.3×2.36

35 0.7×3.52

36 0.26×3.8

37 0.85×2.69

38 3.9×0.4

39 6.4×0.8

40 4.5×0.25

41 8.43×0.6

42 2.75×0.13

맞힌 개수
개 /42개

나의 학습 결과에 ○표 하세요.

맞힌 개수	0~4개	5~21개	22~38개	39~42개
학습 방법	다시 한번 풀어 봐요.	계산 연습이 필요해요.	틀린 문제를 확인해요.	실수하지 않도록 집중해요.

QR 빠른 정답 확인

10일차 6. 곱의 소수점의 위치 (1)

$0.29 \times 10 = 2.9$ (0이 1개)

$0.29 \times 100 = 29$ (0이 2개)

$0.29 \times 1000 = 290$ (0이 3개)

곱하는 수의 0이 하나씩 늘어날 때마다 곱의 소수점이 오른쪽으로 한 자리씩 옮겨져요.

$127 \times 0.1 = 12.7$ (소수 한 자리 수)

$127 \times 0.01 = 1.27$ (소수 두 자리 수)

$127 \times 0.001 = 0.127$ (소수 세 자리 수)

곱하는 소수의 소수점 아래 자리 수가 하나씩 늘어날 때마다 곱의 소수점이 왼쪽으로 한 자리씩 옮겨져요.

□ 안에 알맞은 수를 써넣으세요.

1
$0.3 \times 10 = \square$
$0.3 \times 100 = \square$
$0.3 \times 1000 = \square$

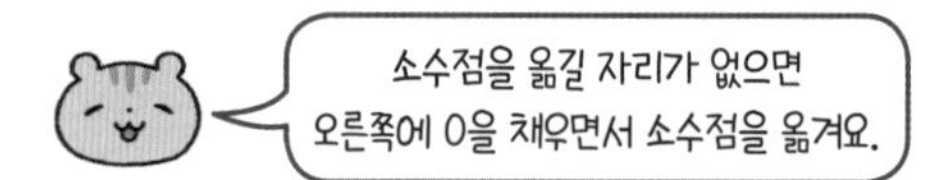

2
$0.62 \times 10 = \square$
$0.62 \times 100 = \square$
$0.62 \times 1000 = \square$

3
$0.987 \times 10 = \square$
$0.987 \times 100 = \square$
$0.987 \times 1000 = \square$

4
$5.6 \times 10 = \square$
$5.6 \times 100 = \square$
$5.6 \times 1000 = \square$

5
$9 \times 0.1 = \square$
$9 \times 0.01 = \square$
$9 \times 0.001 = \square$

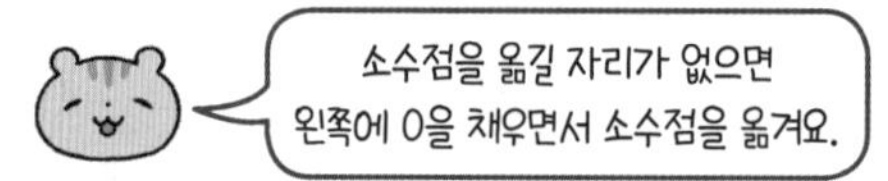

6
$23 \times 0.1 = \square$
$23 \times 0.01 = \square$
$23 \times 0.001 = \square$

7
$174 \times 0.1 = \square$
$174 \times 0.01 = \square$
$174 \times 0.001 = \square$

8
$6816 \times 0.1 = \square$
$6816 \times 0.01 = \square$
$6816 \times 0.001 = \square$

계산해 보세요.

9
0.4×10
0.4×100
0.4×1000

10
0.75×10
0.75×100
0.75×1000

11
0.93×10
0.93×100
0.93×1000

12
0.268×10
0.268×100
0.268×1000

13
0.341×10
0.341×100
0.341×1000

14
1.8×10
1.8×100
1.8×1000

15
2.85×10
2.85×100
2.85×1000

16
5.29×10
5.29×100
5.29×1000

17
7.214×10
7.214×100
7.214×1000

18
2×0.1
2×0.01
2×0.001

19
8×0.1
8×0.01
8×0.001

20
15×0.1
15×0.01
15×0.001

21
94×0.1
94×0.01
94×0.001

22
357×0.1
357×0.01
357×0.001

23
688×0.1
688×0.01
688×0.001

24
904×0.1
904×0.01
904×0.001

25
2560×0.1
2560×0.01
2560×0.001

26
7310×0.1
7310×0.01
7310×0.001

맞힌 개수

개 /26개

나의 학습 결과에 ○표 하세요.

맞힌 개수	0～3개	4～13개	14～23개	24～26개
학습 방법	다시 한번 풀어 봐요.	계산 연습이 필요해요.	틀린 문제를 확인해요.	실수하지 않도록 집중해요.

QR 빠른 정답 확인

6. 곱의 소수점의 위치 (1)

계산해 보세요.

1. 0.2×10
   0.2×100
   0.2×1000

2. 0.7×10
   0.7×100
   0.7×1000

3. 0.36×10
   0.36×100
   0.36×1000

4. 0.84×10
   0.84×100
   0.84×1000

5. 0.519×10
   0.519×100
   0.519×1000

6. 0.728×10
   0.728×100
   0.728×1000

7. 4.5×10
   4.5×100
   4.5×1000

8. 2.73×10
   2.73×100
   2.73×1000

9. 6.64×10
   6.64×100
   6.64×1000

10. 9.108×10
    9.108×100
    9.108×1000

11. 4×0.1
    4×0.01
    4×0.001

12. 6×0.1
    6×0.01
    6×0.001

13. 21×0.1
    21×0.01
    21×0.001

14. 53×0.1
    53×0.01
    53×0.001

15. 89×0.1
    89×0.01
    89×0.001

16. 122×0.1
    122×0.01
    122×0.001

17. 484×0.1
    484×0.01
    484×0.001

18. 763×0.1
    763×0.01
    763×0.001

19. 5010×0.1
    5010×0.01
    5010×0.001

20. 8560×0.1
    8560×0.01
    8560×0.001

21. 9273×0.1
    9273×0.01
    9273×0.001

연산 in 문장제

어느 기차는 1분에 3.17 km를 갈 수 있습니다. 이 기차가 같은 빠르기로 100분 동안 갈 수 있는 거리는 몇 km인지 구해 보세요.

$3.17 \times 100 = 317$(km)

기차가 1분에 갈 수 있는 거리 / 같은 빠르기로 간 시간 / 기차가 100분 동안 갈 수 있는 거리

3.17	×	10	=	31.7
3.17	×	100	=	317
3.17	×	1000	=	3170

22 어느 종이 한 장의 두께는 0.158 mm입니다. 똑같은 종이 100장의 두께는 모두 몇 mm인지 구해 보세요.

→

	×		=	
	×		=	
	×		=	

답 ____________

23 100원짜리 동전 한 개의 무게는 5.42 g입니다. 100원짜리 동전 1000개의 무게는 모두 몇 g인지 구해 보세요.

→

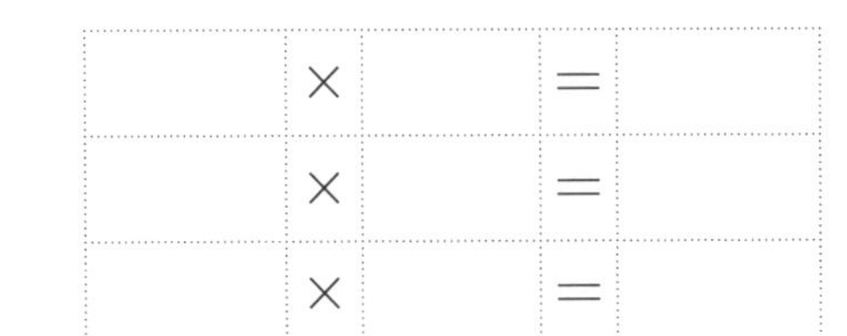

	×		=	
	×		=	
	×		=	

답 ____________

24 파란색 테이프의 길이는 163 cm이고, 노란색 테이프의 길이는 파란색 테이프의 길이의 0.01배입니다. 노란색 테이프의 길이는 몇 cm인지 구해 보세요.

→

	×		=	
	×		=	
	×		=	

답 ____________

25 철근의 무게는 3520 kg이고, 나무 막대의 무게는 철근의 무게의 0.001배입니다. 나무 막대의 무게는 몇 kg인지 구해 보세요.

	×		=	
	×		=	
	×		=	

답 ____________

맞힌 개수: 개 /25개

나의 학습 결과에 ○표 하세요.

맞힌 개수	0~3개	4~13개	14~22개	23~25개
학습 방법	다시 한번 풀어 봐요.	계산 연습이 필요해요.	틀린 문제를 확인해요.	실수하지 않도록 집중해요.

QR 빠른 정답 확인

7. 곱의 소수점의 위치 (2)

$3.6 \times 74 = 266.4$

→ $3.6 \times 740 = 2664$

$3.6 \times 7400 = 26640$

곱하는 수에서 늘어난 0의 개수만큼 곱의 소수점을 오른쪽으로 옮겨요.

→ $0.36 \times 74 = 26.64$

$0.036 \times 74 = 2.664$

곱해지는 수에서 늘어난 소수점 아래 자리 수의 개수만큼 곱의 소수점을 왼쪽으로 옮겨요.

$8 \times 2 = 16$

→ $0.8 \times 0.2 = 0.16$

$0.8 \times 0.02 = 0.016$

$0.08 \times 0.02 = 0.0016$

곱하는 두 소수의 소수점 아래 자리 수의 합만큼 소수점을 왼쪽으로 옮겨 표시해요.

주어진 식을 보고 계산하려고 합니다. □ 안에 알맞은 수를 써넣으세요.

1 $2.9 \times 39 = 113.1$

$2.9 \times 390 = \square$

$2.9 \times 3900 = \square$

5 $1.8 \times 64 = 115.2$

$0.18 \times 64 = \square$

$0.018 \times 64 = \square$

9 $2 \times 5 = 10$

$0.2 \times 0.5 = \square$

$0.2 \times 0.05 = \square$

2 $4.7 \times 27 = 126.9$

$4.7 \times 270 = \square$

$4.7 \times 2700 = \square$

6 $3.1 \times 45 = 139.5$

$0.31 \times 45 = \square$

$0.031 \times 45 = \square$

10 $6 \times 54 = 324$

$0.6 \times 5.4 = \square$

$0.6 \times 0.54 = \square$

3 $8.5 \times 41 = 348.5$

$8.5 \times 410 = \square$

$8.5 \times 4100 = \square$

7 $4.2 \times 73 = 306.6$

$0.42 \times 73 = \square$

$0.042 \times 73 = \square$

11 $12 \times 7 = 84$

$1.2 \times 0.7 = \square$

$0.12 \times 0.7 = \square$

4 $9.8 \times 16 = 156.8$

$9.8 \times 160 = \square$

$9.8 \times 1600 = \square$

8 $5.7 \times 36 = 205.2$

$0.57 \times 36 = \square$

$0.057 \times 36 = \square$

12 $71 \times 28 = 1988$

$7.1 \times 2.8 = \square$

$0.71 \times 2.8 = \square$

주어진 식을 보고 계산해 보세요.

13 $2.4 \times 76 = 182.4$

2.4×760

2.4×7600

14 $3.8 \times 47 = 178.6$

3.8×470

3.8×4700

15 $5.3 \times 26 = 137.8$

5.3×260

5.3×2600

16 $6.72 \times 32 = 215.04$

6.72×320

6.72×3200

17 $7.45 \times 63 = 469.35$

7.45×630

7.45×6300

18 $3.3 \times 29 = 95.7$

0.33×29

0.033×29

19 $4.9 \times 35 = 171.5$

0.49×35

0.049×35

20 $6.3 \times 43 = 270.9$

0.63×43

0.063×43

21 $8.3 \times 58 = 481.4$

0.83×58

0.083×58

22 $9.6 \times 24 = 230.4$

0.96×24

0.096×24

23 $4 \times 9 = 36$

0.4×0.9

0.4×0.09

0.04×0.09

24 $8 \times 6 = 48$

0.8×0.6

0.8×0.06

0.08×0.06

25 $9 \times 15 = 135$

0.9×1.5

0.9×0.15

0.09×0.15

26 $18 \times 5 = 90$

1.8×0.5

0.18×0.05

0.018×0.05

27 $56 \times 22 = 1232$

5.6×2.2

0.56×2.2

0.56×0.22

맞힌 개수

개 / 27개

나의 학습 결과에 ○표 하세요.

맞힌 개수	0~3개	4~14개	15~24개	25~27개
학습 방법	다시 한번 풀어 봐요.	계산 연습이 필요해요.	틀린 문제를 확인해요.	실수하지 않도록 집중해요.

QR 빠른 정답 확인

7. 곱의 소수점의 위치 (2)

주어진 식을 보고 계산해 보세요.

1. $1.7 \times 32 = 54.4$
   - 1.7×320
   - 0.017×32

2. $2.6 \times 48 = 124.8$
   - 2.6×480
   - 0.26×48

3. $3.7 \times 23 = 85.1$
   - 3.7×2300
   - 0.037×23

4. $4.2 \times 27 = 113.4$
   - 4.2×270
   - 0.042×27

5. $4.8 \times 62 = 297.6$
   - 4.8×6200
   - 0.48×62

6. $5.4 \times 38 = 205.2$
   - 5.4×3800
   - 0.054×38

7. $6.9 \times 56 = 386.4$
   - 6.9×560
   - 0.69×56

8. $7.8 \times 24 = 187.2$
   - 7.8×240
   - 0.078×24

9. $8.3 \times 25 = 207.5$
   - 8.3×2500
   - 0.083×25

10. $3 \times 7 = 21$
    - 0.3×0.7
    - 0.3×0.07

11. $8 \times 53 = 424$
    - 0.08×5.3
    - 0.8×0.53

12. $9 \times 12 = 108$
    - 0.9×1.2
    - 0.09×0.12

13. $15 \times 5 = 75$
    - 0.15×0.5
    - 1.5×0.05

14. $46 \times 9 = 414$
    - 4.6×0.09
    - 0.046×0.9

15. $28 \times 55 = 1540$
    - 2.8×5.5
    - 0.028×0.55

16. $97 \times 14 = 1358$
    - 9.7×0.14
    - 0.97×1.4

17. $5.6 \times 3.4 = 19.04$
    - 0.56×0.34
    - 0.056×3.4

18. $7.5 \times 1.9 = 14.25$
    - 0.75×1.9
    - 7.5×0.019

연산 in 문장제

어느 공장에서 생산한 장난감 한 개의 무게는 3.6 kg입니다. $3.6 \times 29 = 104.4$를 이용하여 똑같은 장난감 290개의 무게는 모두 몇 kg인지 구해 보세요.

3.6	×	29	=	104.4
3.6	×	290	=	1044

$3.6 \times 290 = 1044$(kg)

3.6: 장난감 한 개의 무게 / 290: 장난감 수 / 1044: 장난감 290개의 무게

19 어느 문구점에서 판매하는 수수깡 한 개의 길이는 5.7 cm입니다. $5.7 \times 32 = 182.4$를 이용하여 똑같은 수수깡 3200개의 길이는 모두 몇 cm인지 구해 보세요.

→

5.7	×	32	=	182.4
	×		=	

답 ________

20 한 병에 0.64 L씩 들어 있는 사과주스가 있습니다. $6.4 \times 45 = 288$을 이용하여 45병에 들어 있는 사과주스는 모두 몇 L인지 구해 보세요.

→

6.4	×	45	=	288
	×		=	

답 ________

21 한 변의 길이가 0.4 m인 정사각형 모양의 종이가 있습니다. $4 \times 4 = 16$을 이용하여 종이의 넓이는 몇 m^2인지 구해 보세요.

→

4	×	4	=	16
	×		=	

답 ________

22 하진이가 산 책의 무게는 0.16 kg이고, 서윤이가 산 책의 무게는 하진이가 산 책의 무게의 0.5배입니다. $16 \times 5 = 80$을 이용하여 서윤이가 산 책의 무게는 몇 kg인지 구해 보세요.

→

16	×	5	=	80
	×		=	

답 ________

맞힌 개수: 개 /22개

나의 학습 결과에 ○표 하세요.

맞힌 개수	0~2개	3~11개	12~20개	21~22개
학습 방법	다시 한번 풀어 봐요.	계산 연습이 필요해요.	틀린 문제를 확인해요.	실수하지 않도록 집중해요.

QR 빠른 정답 확인

14일차 연산&문장제 마무리

계산해 보세요.

1 0.5×0.9

2 2.6×0.6

3 0.3×0.48

4 4.26×0.8

5 6.82×0.2

6 3.86×2.94

7 0.47×0.53

8 0.4×5.2

9 6.5×3.9

10 0.2×3.94

11 0.29×0.7

12 0.45×3.8

13 8.29×0.7

14 5.26×1.8

15 2.9×4.6

16 0.8×0.8

17 5.5×0.4

18 8.6×3.73

19 0.6×4.97

20 0.87×1.3

21 0.72×0.28

22 0.3×5.77

23 0.6×0.73

24 7.68×2.7

25 0.35×2.18

26 0.51×3.29

27 9.27×1.53

28 6.85×3.88

29 0.94×0.33

30 0.84×0.5

31 4.5×2.96

32 3.7×0.58

33 6.9×0.42

34 0.74×4.18

35 3.58×0.27

36 9.23×0.46

37 5.17×0.39

38 3.84×10
3.84×100
3.84×1000

39 409×0.1
409×0.01
409×0.001

40 7390×0.1
7390×0.01
7390×0.001

주어진 식을 보고 계산해 보세요.

41 $8.6\times37=318.2$

8.6×370
0.086×37

42 $25\times6=150$

2.5×0.6
0.25×0.06

43 $67\times49=3283$

0.67×4.9
6.7×0.49

정답 34쪽

44 어느 콩 한 봉지는 0.78 kg입니다. 그중 0.4만큼이 탄수화물 성분일 때 탄수화물 성분이 몇 kg인지 구해 보세요.

답 ______________

45 세진이가 산 연필의 길이는 8.16 cm이고, 서우가 산 연필의 길이는 세진이가 산 연필의 길이의 1.55배입니다. 서우가 산 연필의 길이는 몇 cm인지 구해 보세요.

답 ______________

46 세림이는 0.2 L에서 1.7배로 양이 늘어난 세제를 샀습니다. 세림이가 산 세제는 몇 L인지 구해 보세요.

답 ______________

47 지우의 할머니 댁에 있는 강아지의 몸무게는 5.3 kg이고, 고양이의 몸무게는 강아지의 몸무게의 0.6배입니다. 고양이의 몸무게는 몇 kg인지 구해 보세요.

답 ______________

48 연수는 텃밭에 상추와 깻잎을 심었습니다. 상추를 심은 텃밭의 넓이는 10.86 m^2이고, 깻잎을 심은 텃밭의 넓이는 상추를 심은 텃밭의 넓이의 0.75배입니다. 깻잎을 심은 텃밭의 넓이는 몇 m^2인지 구해 보세요.

답 ______________

49 어느 리본 한 개의 길이는 0.207 m입니다. 똑같은 리본 1000개의 길이는 모두 몇 m인지 구해 보세요.

답 ______________

50 민서가 산 사과의 무게는 0.28 kg이고, 우현이가 산 사과의 무게는 민서가 산 사과의 무게의 0.75배입니다. $28 \times 75 = 2100$을 이용하여 우현이가 산 사과의 무게는 몇 kg인지 구해 보세요.

답 ______________

연산 노트

맞힌 개수

개 /50개

나의 학습 결과에 ○표 하세요.

맞힌 개수	0~5개	6~25개	26~45개	46~50개
학습 방법	다시 한번 풀어 봐요.	계산 연습이 필요해요.	틀린 문제를 확인해요.	실수하지 않도록 집중해요.

QR 빠른 정답 확인

7

평균

학습 주제	학습 일차	맞힌 개수
1. 평균 구하기	01일차	/24
	02일차	/22
2. 평균 비교하기	03일차	/18
	04일차	/12
3. 평균을 이용하여 자료 값 구하기	05일차	/24
	06일차	/24
연산 마무리	07일차	/35

1. 평균 구하기

(평균) = (자료 값의 합) ÷ (자료의 수) ← 분수로 표현하면 $\frac{(\text{자료 값의 합})}{(\text{자료의 수})}$으로 나타낼 수 있어요.

예 제기차기 기록의 평균 구하기

제기차기 기록

이름	채린	수빈	예지
기록(개)	3	4	5

(제기차기 기록의 합) = 3 + 4 + 5 = 12(개)

(학생 수) = 3(명)

(제기차기 기록의 평균)

=(제기차기 기록의 합) ÷ (학생 수)

= 12 ÷ 3 = 4(개)

자료의 평균을 구해 보세요.

1. 8 6 13

   (　　　　　)

2. 14 11 26

   (　　　　　)

3. 23 31 18

   (　　　　　)

4. 31 38 42

   (　　　　　)

5. 46 52 64

   (　　　　　)

6. 14 9 12 5

   (　　　　　)

7. 21 13 17 25

   (　　　　　)

8. 33 37 23 31

   (　　　　　)

9. 46 42 52 44

   (　　　　　)

10. 52 83 65 56

   (　　　　　)

11 5 7 6 9 3

( )

12 13 8 9 16 14

( )

13 22 27 19 25 17

( )

14 34 35 31 43 37

( )

15 59 48 61 60 72

( )

16 76 71 82 102 94

( )

17 111 124 117 105 133

( )

18 9 12 7 11 15 6

( )

19 13 14 17 19 15 12

( )

20 27 31 28 38 22 34

( )

21 35 39 46 47 53 56

( )

22 58 69 71 56 82 90

( )

23 93 100 108 97 117 121

( )

24 119 142 136 121 132 154

( )

맞힌 개수

개 /24개

나의 학습 결과에 ○표 하세요.

맞힌 개수	0～4개	5～13개	14～20개	21～24개
학습 방법	다시 한번 풀어 봐요.	계산 연습이 필요해요.	틀린 문제를 확인해요.	실수하지 않도록 집중해요.

1. 평균 구하기

표를 보고 자료의 평균을 구해 보세요.

1 가지고 있는 사탕 수

이름	준형	채린	재인
사탕 수(개)	5	4	6

( )

2 턱걸이 기록

이름	지민	영미	수연
기록(개)	9	12	9

( )

3 요일별 최저 기온

요일	월	화	수
기온(°C)	13	16	10

( )

4 제기차기 기록

이름	성민	윤재	성환
기록(개)	22	26	24

( )

5 국어 단원 평가 점수

이름	정미	지연	양화
점수(점)	76	85	64

( )

6 오늘 마신 주스의 양

이름	지윤	혜원	수미
주스의 양 (mL)	140	210	160

( )

7 가지고 있는 볼펜 수

이름	지현	경혜	진옥	현주
볼펜 수(개)	4	2	5	1

( )

8 윗몸 말아 올리기 기록

이름	창민	우열	가영	승덕
기록(개)	8	17	11	12

( )

9 요일별 최고 기온

요일	월	화	수	목
기온(°C)	23	20	21	24

( )

10 공 던지기 기록

이름	연경	지은	현정	선형
기록(m)	31	25	36	28

( )

11 과학 단원 평가 점수

이름	경숙	연지	원길	호형
점수(점)	64	71	92	81

( )

12 오늘 마신 우유의 양

이름	유진	종민	미연	승준
우유의 양 (mL)	150	250	200	300

( )

13 독서한 시간

요일	월	화	수	목	금
독서 시간 (시간)	3	5	2	6	4

( )

14 훌라후프 기록

이름	태희	혜교	정혁	지수	재환
기록(개)	17	23	30	19	26

( )

15 과목별 점수

이름	국어	수학	사회	과학	영어
점수(점)	84	79	94	88	95

( )

16 요일별 방문자 수

요일	월	화	수	목	금
방문자 수 (명)	101	124	132	117	121

( )

17 발 크기

이름	이준	지안	서아	하윤	은우
발 크기 (mm)	250	235	240	245	255

( )

18 일주일 동안 운동한 시간

이름	서준	지원	민아	소희	하늘	태형
운동 시간 (시간)	6	5	4	5	7	3

( )

19 줄넘기 기록

이름	지완	승호	지희	덕규	인경	숙희
기록(개)	36	43	29	21	33	36

( )

20 수학 단원 평가 점수

회	1회	2회	3회	4회	5회	6회
점수(점)	74	86	83	76	93	98

( )

21 학년별 학생 수

학년	1학년	2학년	3학년	4학년	5학년	6학년
학생 수 (명)	123	114	126	136	151	148

( )

22 키

이름	이서	하준	연우	아린	선우	지유
키 (cm)	147	154	146	142	150	149

( )

맞힌 개수

개 /22개

나의 학습 결과에 ○표 하세요.

맞힌 개수	0～4개	5～12개	13～19개	20～22개
학습 방법	다시 한번 풀어 봐요.	계산 연습이 필요해요.	틀린 문제를 확인해요.	실수하지 않도록 집중해요.

QR 빠른 정답 확인

03일차 2. 평균 비교하기

수민이의 줄넘기 기록

회	1회	2회	3회
기록(개)	2	3	4

(수민이의 줄넘기 기록 평균)
=(2+3+4)÷3=3(개)

희정이의 줄넘기 기록

회	1회	2회	3회
기록(개)	3	5	4

(희정이의 줄넘기 기록 평균)
=(3+5+4)÷3=4(개)

→ 4 > 3이므로 희정이가 수민이보다 줄넘기를 더 잘했다고 할 수 있습니다.

자료의 수가 다른 두 집단을 비교할 때에는 평균을 비교해요.

● 두 자료의 평균을 비교하여 ◯ 안에 >, =, <를 알맞게 써넣으세요.

1 가 4 8 6
나 6 3 9
가의 평균 ◯ 나의 평균

2 가 11 26 17
나 23 19 15
가의 평균 ◯ 나의 평균

3 가 27 39 42
나 31 42 19 24
가의 평균 ◯ 나의 평균

4 가 76 83 57
나 67 72 81 58 77
가의 평균 ◯ 나의 평균

5 가 5 2 7 6
나 4 9 3 8
가의 평균 ◯ 나의 평균

6 가 15 23 17 21
나 22 18 15 17
가의 평균 ◯ 나의 평균

7 가 46 51 54 49
나 39 64 52 62 48
가의 평균 ◯ 나의 평균

8 가 88 109 98 105
나 106 97 86 102 121 88
가의 평균 ◯ 나의 평균

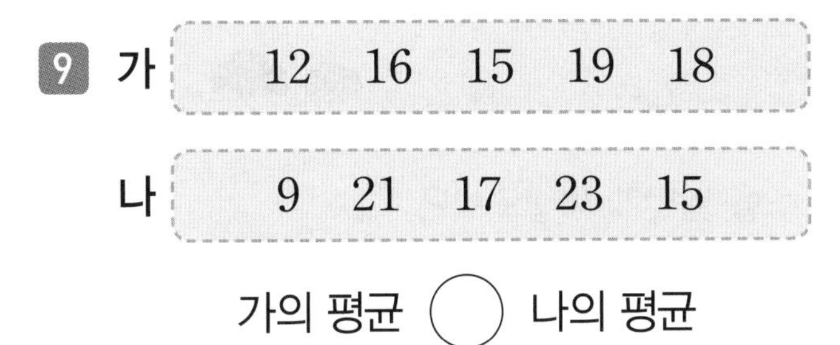

9 가 12 16 15 19 18

나 9 21 17 23 15

가의 평균 ◯ 나의 평균

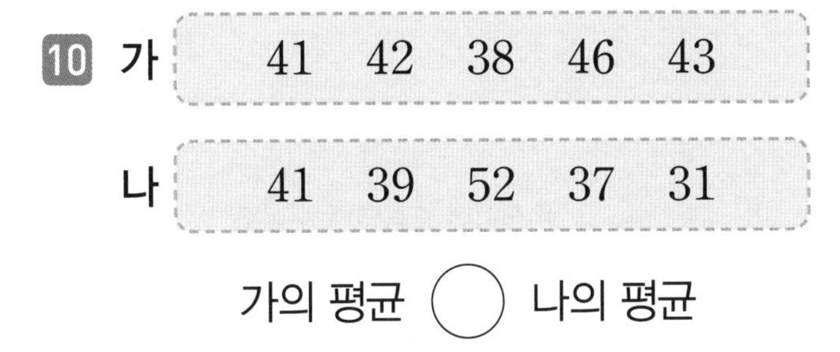

10 가 41 42 38 46 43

나 41 39 52 37 31

가의 평균 ◯ 나의 평균

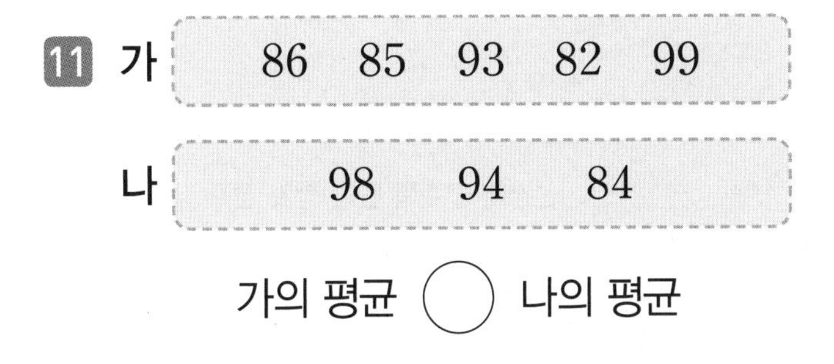

11 가 86 85 93 82 99

나 98 94 84

가의 평균 ◯ 나의 평균

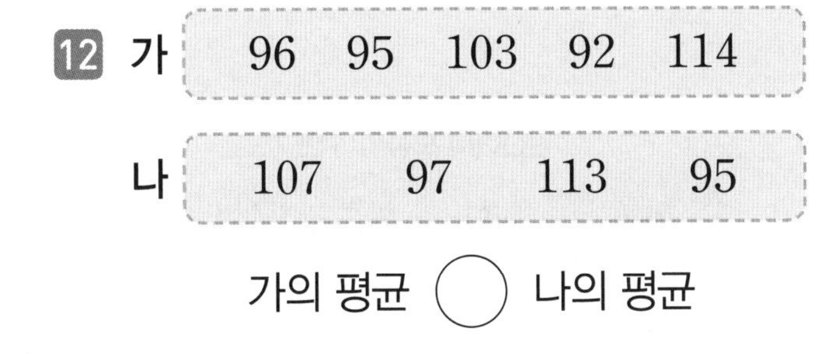

12 가 96 95 103 92 114

나 107 97 113 95

가의 평균 ◯ 나의 평균

13 가 162 187 205 179 212

나 213 195 202 231 171 182

가의 평균 ◯ 나의 평균

14 가 17 28 19 15 24 23

나 26 31 18 24 27 18

가의 평균 ◯ 나의 평균

15 가 54 66 52 50 64 68

나 48 73 64 46 62 55

가의 평균 ◯ 나의 평균

16 가 93 98 108 104 126 119

나 126 99 117

가의 평균 ◯ 나의 평균

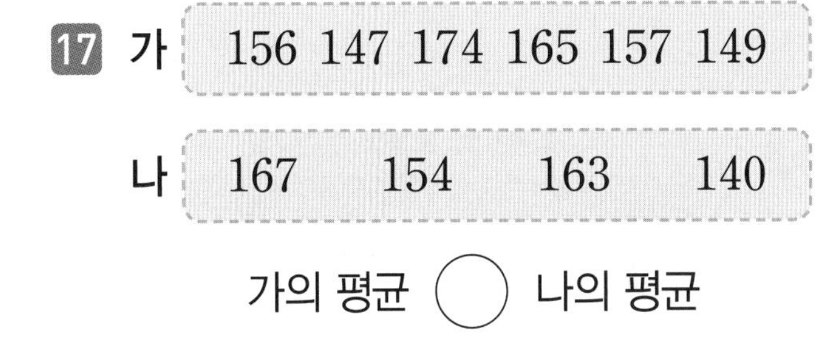

17 가 156 147 174 165 157 149

나 167 154 163 140

가의 평균 ◯ 나의 평균

18 가 252 279 321 238 264 314

나 318 236 302 271 288

가의 평균 ◯ 나의 평균

맞힌 개수

개 /18개

나의 학습 결과에 ○표 하세요.

맞힌 개수	0～4개	5～10개	11～15개	16～18개
학습 방법	다시 한번 풀어 봐요.	계산 연습이 필요해요.	틀린 문제를 확인해요.	실수하지 않도록 집중해요.

QR 빠른 정답 확인

04일차 2. 평균 비교하기

표를 보고 자료의 평균을 비교하여 ◯ 안에 >, =, <를 알맞게 써넣으세요.

1

수아의 과녁 맞히기 점수

회	1회	2회	3회
점수(점)	5	7	6

◯

준우의 과녁 맞히기 점수

회	1회	2회	3회
점수(점)	8	7	3

2

유나네 모둠의 독서 시간

이름	유나	성은	원미
독서 시간(분)	32	39	55

◯

우진이네 모둠의 독서 시간

이름	우진	상우	종원	지호
독서 시간(분)	53	47	40	48

3

성한이의 수학 단원 평가 점수

회	1회	2회	3회
점수(점)	88	92	72

◯

선경이의 수학 단원 평가 점수

회	1회	2회	3회	4회	5회
점수(점)	82	96	68	72	92

4

효훈이네 모둠의 수면 시간

이름	효훈	기웅	해인	영민
수면 시간(시간)	6	9	7	6

◯

인선이네 모둠의 수면 시간

이름	인선	주경	경민	나리
수면 시간(시간)	7	9	8	8

5

일별 최고 기온

날짜	2일	3일	4일	5일
기온(°C)	21	25	23	27

◯

일별 최고 기온

날짜	21일	22일	23일	24일	25일
기온(°C)	26	23	24	22	20

6

지한이의 줄넘기 기록

회	1회	2회	3회	4회
기록(개)	65	52	74	81

◯

서희의 줄넘기 기록

회	1회	2회	3회	4회	5회	6회
기록(개)	72	64	66	62	69	75

7

가지고 있는 연필 수

이름	은기	하린	해윤	영성	성주
연필 수 (개)	11	9	10	12	8

○

가지고 있는 연필 수

이름	진철	영표	소연	은영	아영
연필 수 (개)	12	7	10	7	9

8

해린이네 모둠의 운동 시간

이름	해린	사니	희진	수지	승주
운동 시간 (분)	37	35	41	52	45

○

다영이네 모둠의 운동 시간

이름	다영	소영	송화
운동 시간 (분)	52	46	67

9

요한이네 모둠의 키

이름	요한	두준	화정	재경	철우
키 (cm)	151	146	142	154	152

○

윤호네 모둠의 키

이름	윤호	민호	슬기	선영	시은	성재
키 (cm)	148	149	154	152	146	157

10

읽은 동화책 수

이름	지숙	승아	현영	윤혜	재이	혜미
책 수 (권)	12	10	11	8	13	12

○

읽은 동화책 수

이름	주비	건희	미령	승호	미르	이정
책 수 (권)	13	8	12	11	9	7

11

진성이네 모둠의 몸무게

이름	진성	연주	창원	윤희	민규	소현
몸무게 (kg)	38	37	32	33	30	34

○

나영이네 모둠의 몸무게

이름	나영	성우	혜영	성화
몸무게 (kg)	37	30	35	34

12

경일이네 모둠의 발 크기

이름	경일	민아	도균	유라	시형	소진
발 크기 (mm)	235	230	255	240	235	245

○

재호네 모둠의 발 크기

이름	재호	혜리	명한	리나	영준
발 크기 (mm)	255	245	250	240	260

맞힌 개수

개 /12개

나의 학습 결과에 ○표 하세요.

맞힌 개수	0~3개	4~7개	8~11개	12개
학습 방법	다시 한번 풀어 봐요.	계산 연습이 필요해요.	틀린 문제를 확인해요.	실수하지 않도록 집중해요.

QR 빠른 정답 확인

05 일차 3. 평균을 이용하여 자료 값 구하기

(평균) = (자료 값의 합) ÷ (자료의 수)
→ (자료 값의 합) = (평균) × (자료의 수)

예 넣은 화살 수의 평균이 5개일 때 유환이의 기록 구하기

넣은 화살 수

이름	희수	보현	도건	유환
화살 수(개)	6	3	5	

(넣은 화살 수의 합)=(평균)×(학생 수)
=5×4 = **20**(개)
→ (유환이의 기록)
=20−(6+3+5)=20−14 = **6**(개)

자료의 평균을 이용하여 ■의 값을 구해 보세요.

1 평균: 8 ⇨ 8 ■ 6
( )

2 평균: 19 ⇨ ■ 18 23
( )

3 평균: 42 ⇨ 46 41 ■
( )

4 평균: 97 ⇨ ■ 103 100
( )

5 평균: 147 ⇨ 142 ■ 148
( )

6 평균: 9 ⇨ 8 7 10 ■
( )

7 평균: 20 ⇨ 15 ■ 18 23
( )

8 평균: 78 ⇨ ■ 82 79 84
( )

9 평균: 109 ⇨ 102 108 ■ 115
( )

10 평균: 178 ⇨ 182 169 173 ■
( )

11 평균: 5 ⇨ ■ 4 7 5 3

(   )

12 평균: 15 ⇨ 13 12 ■ 19 15

(   )

13 평균: 38 ⇨ 36 ■ 43 41 38

(   )

14 평균: 84 ⇨ 74 91 83 80 ■

(   )

15 평균: 113 ⇨ 92 116 104 ■ 121

(   )

16 평균: 162 ⇨ 162 154 ■ 171 165

(   )

17 평균: 216 ⇨ 210 223 204 214 ■

(   )

18 평균: 9 ⇨ 5 7 ■ 10 13 8

(   )

19 평균: 24 ⇨ 22 26 32 25 ■ 23

(   )

20 평균: 64 ⇨ ■ 73 64 78 54 62

(   )

21 평균: 85 ⇨ 84 92 89 86 77 ■

(   )

22 평균: 113

⇨ 101 ■ 112 117 121 119

(   )

23 평균: 151

⇨ 147 152 154 ■ 150 161

(   )

24 평균: 226

⇨ ■ 233 245 222 236 220

(   )

맞힌 개수

개 /24개

나의 학습 결과에 ○표 하세요.

맞힌 개수	0~4개	5~13개	14~20개	21~24개
학습 방법	다시 한번 풀어 봐요.	계산 연습이 필요해요.	틀린 문제를 확인해요.	실수하지 않도록 집중해요.

QR 빠른정답 확인

3. 평균을 이용하여 자료 값 구하기

자료의 평균을 이용하여 표의 빈칸에 알맞은 수를 써넣으세요.

1 가족 수

이름	민준	서진	준우	평균
가족 수(명)	2		6	4

7 과녁 맞히기 점수

이름	민재	준희	은찬	시후	평균
점수(점)	6	8		9	7

2 오래 매달리기 기록

이름	준서	현우	시윤	평균
기록(초)		17	16	15

8 팔굽혀펴기 기록

이름	우빈	태양	지율	현서	평균
기록(개)	13		12	16	14

3 가지고 있는 장난감 수

이름	서연	도현	승민	평균
장난감 수(개)	36	29		36

9 안경 쓴 학생 수

학년	3학년	4학년	5학년	6학년	평균
학생 수(명)	21	37	55		39

4 컴퓨터 사용 시간

이름	예서	채은	시현	평균
시간(분)	73		83	79

10 숙제한 시간

이름	지유	수빈	우진	건우	평균
시간(분)		65	49	52	56

5 영어 단원 평가 점수

이름	준서	현우	시윤	평균
점수(점)	82	100		93

11 사회 단원 평가 점수

이름	예나	윤하	민채	채린	평균
점수(점)	92	96	88		94

6 마신 우유의 양

이름	채원	가은	예지	평균
우유의 양(mL)		192	168	188

12 마신 물의 양

이름	주환	윤지	성현	라희	평균
물의 양(mL)	304		216	254	264

13 요일별 수면 시간

요일	월	화	수	목	금	평균
수면 시간 (시간)	7		8	7	9	8

14 요일별 최저 기온

요일	월	화	수	목	금	평균
기온 (°C)	16	14	12		13	14

15 줄넘기 기록

이름	민규	예성	세은	윤하	도연	평균
기록(개)		45	39	42	37	42

16 과목별 점수

과목	국어	수학	사회	과학	영어	평균
점수(점)	78	81		84	95	86

17 마신 주스의 양

이름	연아	원준	시훈	한별	주은	평균
주스의 양 (mL)	142		168	154	156	154

18 발 크기

이름	강민	예주	하늘	은술	성빈	평균
발 크기 (mm)	220	230	225	225		227

19 운동한 시간

이름	보민	아현	승원	하랑	윤슬	태희	평균
운동 시간 (시간)	3	4	3		1	5	3

20 월별 최고 기온

월	5월	6월	7월	8월	9월	10월	평균
기온 (°C)	23	27	32	33		25	28

21 몸무게

이름	소이	라엘	민하	태은	규리	다빈	평균
몸무게 (kg)		36	42	38	35	40	37

22 공 던지기 기록

이름	예슬	준성	하나	다솜	범준	세준	평균
기록 (m)	41		33	37	49	44	42

23 학년별 학생 수

학년	1학년	2학년	3학년	4학년	5학년	6학년	평균
학생 수 (명)	123	134	145	137	153		140

24 키

이름	유건	민기	현지	세인	하람	연재	평균
키 (cm)	154	151		153	156	144	151

맞힌 개수

개 /24개

나의 학습 결과에 ○표 하세요.

맞힌 개수	0~4개	5~13개	14~20개	21~24개
학습 방법	다시 한번 풀어 봐요.	계산 연습이 필요해요.	틀린 문제를 확인해요.	실수하지 않도록 집중해요.

QR 빠른 정답 확인

07 일차 연산 마무리

● 자료의 평균을 구해 보세요.

1 15 8 19

( )

2 21 10 17

( )

3 24 30 25 33

( )

4 31 28 42 35

( )

5 46 56 62 67 74

( )

6 72 69 82 93 84

( )

7 103 128 155 143 137 126

( )

● 표를 보고 자료의 평균을 구해 보세요.

8 가지고 있는 사탕 수

이름	가현	라엘	동하
사탕 수(개)	7	9	5

( )

9 턱걸이 기록

이름	유림	이현	리아
기록(개)	11	16	15

( )

10 제기차기 기록

이름	태린	연호	강우	보미
기록(개)	15	14	21	18

( )

11 채은이네 가족의 나이

가족	아버지	어머니	채은	동생
나이(살)	47	43	12	10

( )

12 가지고 있는 구슬 수

이름	고은	주영	서준	동윤	도희
구슬 수(개)	60	52	43	62	58

( )

13 타자 수

이름	상현	루아	리원	지용	태훈
타자 수(타)	114	125	136	118	122

( )

14 급식을 먹은 학생 수

학년	1학년	2학년	3학년	4학년	5학년	6학년
학생 수(명)	125	117	135	133	129	123

( )

두 자료의 평균을 비교하여 ◯ 안에 >, =, <를 알맞게 써넣으세요.

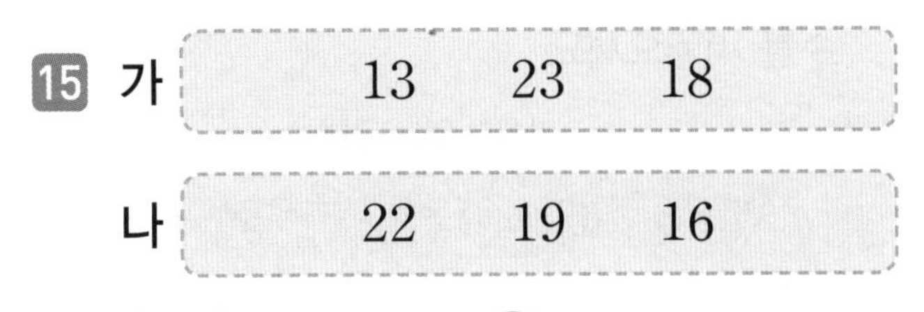

15 가 13 23 18

나 22 19 16

가의 평균 ◯ 나의 평균

18 가 80 67 72

나 80 53 75 84

가의 평균 ◯ 나의 평균

16 가 37 44 35 52

나 42 48 37 33

가의 평균 ◯ 나의 평균

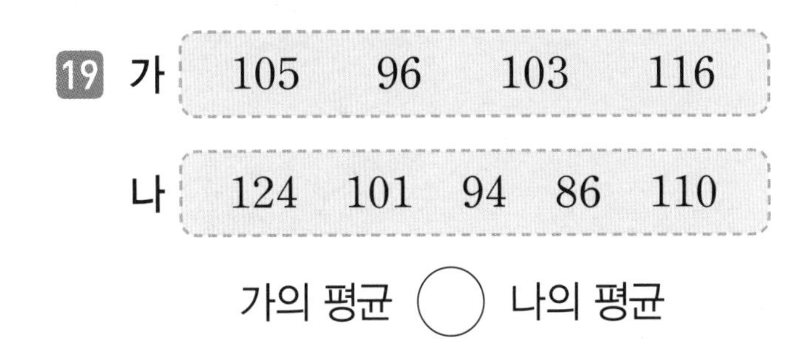

19 가 105 96 103 116

나 124 101 94 86 110

가의 평균 ◯ 나의 평균

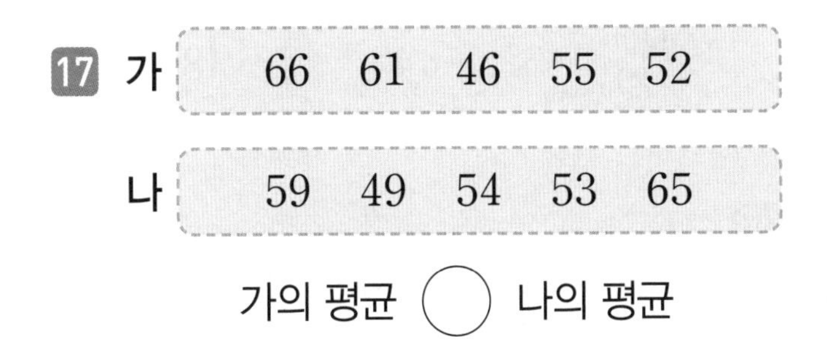

17 가 66 61 46 55 52

나 59 49 54 53 65

가의 평균 ◯ 나의 평균

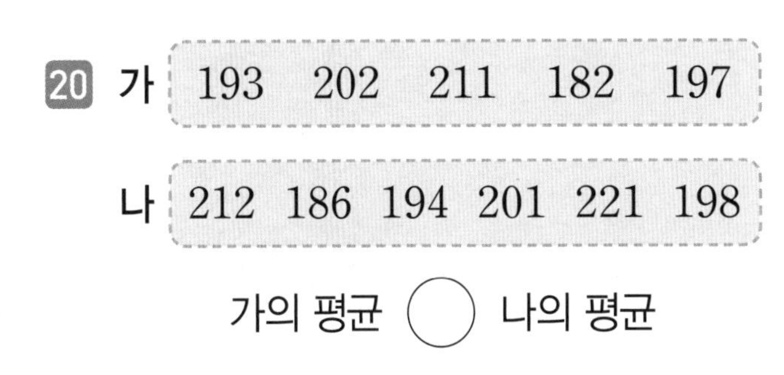

20 가 193 202 211 182 197

나 212 186 194 201 221 198

가의 평균 ◯ 나의 평균

표를 보고 자료의 평균을 비교하여 ◯ 안에 >, =, <를 알맞게 써넣으세요.

21

은설이가 모은 빈 병의 수

월	8월	9월	10월
병 수(병)	13	11	15

◯

진혁이가 모은 빈 병의 수

월	7월	8월	9월	10월
병 수(병)	11	12	15	14

22

4학년 학생 수

반	1반	2반	3반	4반
학생 수(명)	35	32	36	37

◯

5학년 학생 수

반	1반	2반	3반	4반	5반
학생 수(명)	38	35	34	37	36

23

우영이네 모둠의 제자리 멀리뛰기 기록

이름	우영	유빈	단아	아름	채희
기록(cm)	132	126	141	145	136

◯

태오네 모둠의 제자리 멀리뛰기 기록

이름	태오	하음	가을	은수	단우	아인
기록(cm)	143	127	135	140	142	147

자료의 평균을 이용하여 ■의 값을 구해 보세요.

24 평균: 15 ⇨ 7 ■ 23

(　　　　　)

25 평균: 20 ⇨ 16 24 ■ 19

(　　　　　)

26 평균: 47 ⇨ ■ 43 52 57

(　　　　　)

27 평균: 75 ⇨ 69 81 54 ■ 78

(　　　　　)

28 평균: 110 ⇨ 104 99 113 110 ■

(　　　　　)

29 평균: 126 ⇨ 135 ■ 101 96 126 156

(　　　　　)

자료의 평균을 이용하여 표의 빈칸에 알맞은 수를 써넣으세요.

30 가지고 있는 공책 수

이름	가영	은율	우준	평균
공책 수 (권)	14	12		14

31 줄넘기 기록

이름	선유	효린	가람	준하	평균
기록 (개)	37		45	39	41

32 등산 동호회 회원 나이

이름	우열	승덕	효정	은경	평균
나이 (살)	52	44		48	50

33 키

이름	아정	지오	세진	지섭	하라	평균
키 (cm)		153	149	155	152	151

34 요일별 연극 관객 수

요일	월	화	수	목	금	평균
관객 수 (명)	204	196	192	211		205

35 월별 강수량

월	6월	7월	8월	9월	10월	11월	평균
강수량 (mm)	296	313	321		304	288	309

맞힌 개수

개 /35개

나의 학습 결과에 ○표 하세요.

맞힌 개수	0~5개	6~19개	20~31개	32~35개
학습 방법	다시 한번 풀어 봐요.	계산 연습이 필요해요.	틀린 문제를 확인해요.	실수하지 않도록 집중해요.

QR 빠른 정답 확인

연산 노트

연산 노트

연산 노트

연산 노트

풍산자 라인업

초등 풍산자로 개념을 적용하고 응용하여 연산, 유형, 서술형을 풀면 실력이 탄탄해집니다

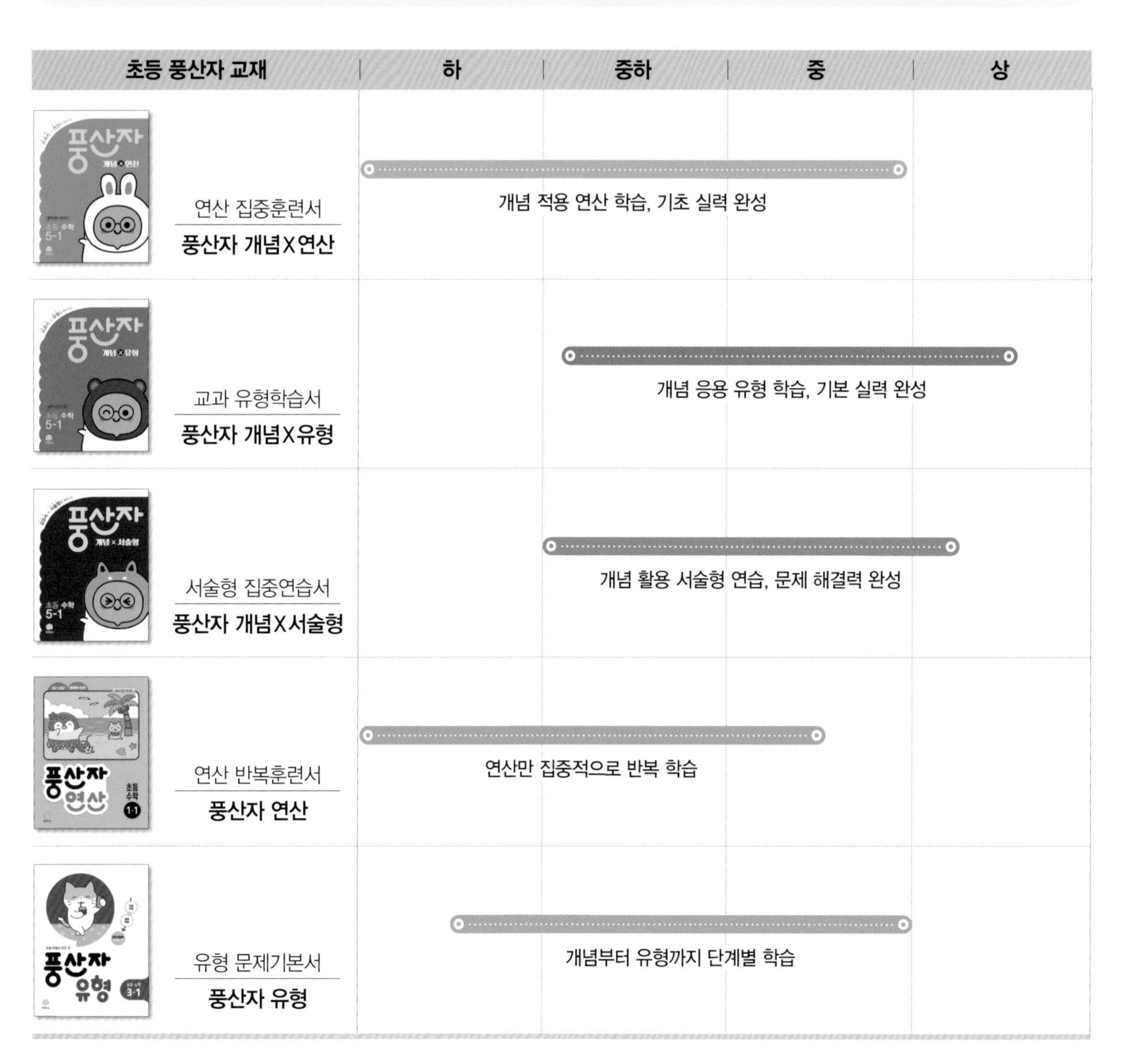

초등 풍산자 교재	하	중하	중	상
연산 집중훈련서 풍산자 개념X연산	개념 적용 연산 학습, 기초 실력 완성			
교과 유형학습서 풍산자 개념X유형		개념 응용 유형 학습, 기본 실력 완성		
서술형 집중연습서 풍산자 개념X서술형		개념 활용 서술형 연습, 문제 해결력 완성		
연산 반복훈련서 풍산자 연산	연산만 집중적으로 반복 학습			
유형 문제기본서 풍산자 유형	개념부터 유형까지 단계별 학습			

풍산자 연산

정답

초등 수학 5-2

지학사

풍산자 연산

초등 연산의 모든 것

정답

초등 수학 5-2

정답

1. 수의 범위

01 일차 1. 이상, 이하 알아보기

8쪽

1. 11 12 13 14 15 16 17 18
2. 44 45 46 47 48 49 50 51
3. 2 3 4 5 6 7 8 9
4. 55 56 57 58 59 60 61 62
5. 52 이상인 수
6. 76 이상인 수
7. 41 이하인 수
8. 88 이하인 수

9쪽

9. 7, 9, 14에 ○표
10. 20, 22에 ○표
11. 24, 40, 39, 23에 ○표
12. 39, 41에 ○표
13. 46, 50에 ○표
14. 67, 61, 59, 80에 ○표
15. 14, 26에 ○표
16. 38, 20, 30, 15에 ○표
17. 42, 17, 33에 ○표
18. 42, 50, 43에 ○표
19. 45, 53에 ○표
20. 74, 89에 ○표

02 일차 1. 이상, 이하 알아보기

10쪽

1. 5, 6, 10.6, 15에 ○표
2. 21, 23.8에 ○표
3. 46, 52.5에 ○표
4. 68.2, 82.8, 89.7에 ○표
5. 93.2, 92.6, 75에 ○표
6. 34, 32.5, 30, 33.8, 24.9에 ○표
7. 47, 53, 55.7에 ○표
8. 55.9, 45, 63, 61, 26에 ○표
9. 80, 69.4, 81.9, 57.2, 75, 9에 ○표
10. 85, 89, 87.3에 ○표

11쪽

11. 정우, 주영, 경훈
12. 6명
13. 가, 라

03 일차 2. 초과, 미만 알아보기

12쪽

1. 26 27 28 29 30 31 32 33
2. 50 51 52 53 54 55 56 57
3. 37 38 39 40 41 42 43 44
4. 83 84 85 86 87 88 89 90
5. 17 초과인 수
6. 49 초과인 수
7. 71 미만인 수
8. 98 미만인 수

13쪽

9. 14, 17, 11에 ○표
10. 22, 25에 ○표
11. 55, 41, 48에 ○표
12. 63, 62에 ○표
13. 73, 82, 77에 ○표
14. 86, 84, 90에 ○표
15. 10, 13에 ○표
16. 26, 27에 ○표
17. 47, 43, 39에 ○표
18. 60, 71, 68, 19에 ○표
19. 62, 84, 75에 ○표
20. 92, 74, 88에 ○표

04 일차 2. 초과, 미만 알아보기

14쪽

1 3, 6.5, 7, 8.4, 3.6에 ○표
2 15, 17.8, 18에 ○표
3 42, 25.1, 27.5, 29.1, 30에 ○표
4 84, 92, 67.2, 65, 64에 ○표
5 94.1, 83, 89.6에 ○표
6 3, 2.5, 8, 6.9, 10에 ○표
7 27.1, 24, 30, 31.9에 ○표
8 51, 50, 47, 17, 52.7에 ○표
9 70.1, 51.9, 68, 67, 75.8에 ○표
10 63, 77, 80.4, 6에 ○표

15쪽

11 27일, 28일, 29일
12 7세, 5세, 4세
13 가, 다, 라, 바

05 일차 3. 이상과 이하

16쪽

1 21 22 23 24 25 26 27 28
2 46 47 48 49 50 51 52 53
3 64 65 66 67 68 69 70 71
4 75 76 77 78 79 80 81 82
5 88 89 90 91 92 93 94 95
6 2 이상 7 이하인 수
7 34 이상 37 이하인 수
8 59 이상 63 이하인 수
9 65 이상 70 이하인 수
10 93 이상 96 이하인 수

17쪽

11 21, 24, 16에 ○표
12 21, 27, 20, 30에 ○표
13 43, 39에 ○표
14 45, 47, 41, 48에 ○표
15 52, 59, 51, 50에 ○표
16 55, 60에 ○표
17 68, 72에 ○표
18 78, 72, 79에 ○표
19 79, 82, 85에 ○표
20 84, 89, 92, 83에 ○표
21 92, 86에 ○표
22 93, 100, 98에 ○표

06 일차 3. 이상과 이하

18쪽

1 25, 32, 29.1에 ○표
2 36, 33, 28에 ○표
3 37.1, 42, 41.6, 37에 ○표
4 52, 49.7, 45에 ○표
5 59, 64, 62.3, 65, 60.3에 ○표
6 70, 62.6, 65에 ○표
7 75, 81, 82.4, 79에 ○표
8 87, 91, 91.6에 ○표
9 101.3, 99.2, 90.5, 101, 102.5에 ○표
10 100, 103.5에 ○표

19쪽

11 나, 다, 라
12 127명, 146명

07 일차

4. 초과와 미만

20쪽

1 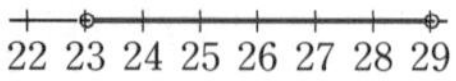 22 23 24 25 26 27 28 29
2 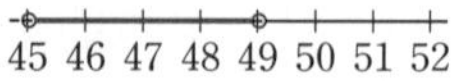 45 46 47 48 49 50 51 52
3 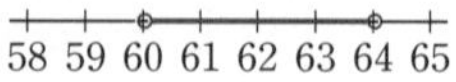 58 59 60 61 62 63 64 65
4 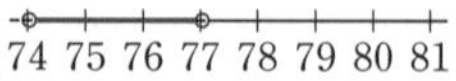 74 75 76 77 78 79 80 81
5 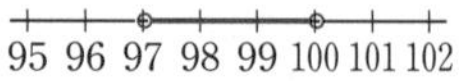 95 96 97 98 99 100 101 102
6 3 초과 8 미만인 수
7 16 초과 21 미만인 수
8 33 초과 36 미만인 수
9 63 초과 66 미만인 수
10 87 초과 90 미만인 수

21쪽

11 19, 25, 27, 22에 ○표
12 26, 30, 27, 31에 ○표
13 36, 32, 34에 ○표
14 48, 51에 ○표
15 52, 54에 ○표
16 51, 55, 53에 ○표
17 59, 56, 58에 ○표
18 63, 67에 ○표
19 69, 67, 72, 70에 ○표
20 92, 89, 94에 ○표
21 93, 92, 90에 ○표
22 103, 100에 ○표

08 일차

4. 초과와 미만

22쪽

1 8.3, 11, 15.2에 ○표
2 13, 17, 14.5, 15.8에 ○표
3 29.8, 28, 26.5에 ○표
4 39, 45.6에 ○표
5 49.2, 54.1, 50, 59.7, 52에 ○표
6 64.7, 56.9에 ○표
7 69.2, 67, 63.3, 68.4에 ○표
8 77, 81, 79.6, 80에 ○표
9 92, 86.1, 90, 89.2, 87.6에 ○표
10 105, 98.1, 100에 ○표

23쪽

11 보라, 승환, 재범
12 2명

09 일차

5. 이상과 미만

24쪽

1  14 15 16 17 18 19 20 21
2 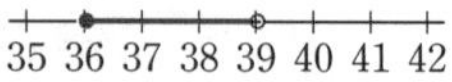 35 36 37 38 39 40 41 42
3 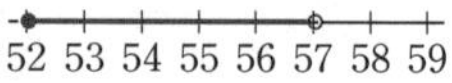 52 53 54 55 56 57 58 59
4 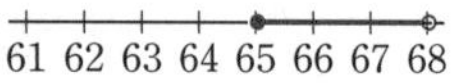 61 62 63 64 65 66 67 68
5 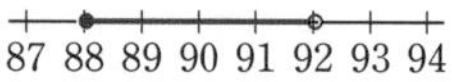 87 88 89 90 91 92 93 94
6 4 이상 9 미만인 수
7 24 이상 27 미만인 수
8 44 이상 50 미만인 수
9 76 이상 79 미만인 수
10 94 이상 97 미만인 수

25쪽

11 11, 12, 14에 ○표
12 21, 23에 ○표
13 25, 29, 27에 ○표
14 41, 39, 37, 38에 ○표
15 42, 43에 ○표
16 55, 58, 57에 ○표
17 70, 67, 72에 ○표
18 68, 71에 ○표
19 72, 70, 71, 75에 ○표
20 89, 85, 87에 ○표
21 98, 101에 ○표
22 110, 112, 109에 ○표

10 일차 5. 이상과 미만

26쪽

1. 23, 26, 24.5에 ○표
2. 32, 33.6, 30, 29.4에 ○표
3. 36, 39, 38.1, 40.8에 ○표
4. 45, 46, 51, 49.6에 ○표
5. 61.3, 60, 64에 ○표
6. 67, 70.9, 65, 66.8에 ○표
7. 73, 77, 75.6에 ○표
8. 84.9, 85.3, 86, 83에 ○표
9. 91, 94.3, 92, 90에 ○표
10. 101, 105, 101.8에 ○표

27쪽

11. 2000원
12. 희영, 상민

11 일차 6. 초과와 이하

28쪽

1. 1 2 3 4 5 6 7 8
2. 15 16 17 18 19 20 21 22
3. 37 38 39 40 41 42 43 44
4. 68 69 70 71 72 73 74 75
5. 93 94 95 96 97 98 99 100
6. 26 초과 30 이하인 수
7. 42 초과 47 이하인 수
8. 50 초과 54 이하인 수
9. 77 초과 82 이하인 수
10. 85 초과 90 이하인 수

29쪽

11. 19, 13에 ○표
12. 20, 23, 19, 24에 ○표
13. 23, 26에 ○표
14. 36, 35, 39, 40에 ○표
15. 47, 46에 ○표
16. 52, 49에 ○표
17. 63, 59, 62, 57에 ○표
18. 66, 62, 63에 ○표
19. 76, 75, 72, 77에 ○표
20. 77, 78에 ○표
21. 89, 94, 90에 ○표
22. 100, 104, 102에 ○표

12 일차 6. 초과와 이하

30쪽

1. 23, 21.5, 19에 ○표
2. 25, 24.1, 27에 ○표
3. 37.5, 39에 ○표
4. 48, 53, 46.7, 49.9, 47에 ○표
5. 53, 54.3, 59에 ○표
6. 66.8, 69, 68.5, 66에 ○표
7. 78, 75.4에 ○표
8. 86, 85.6, 87, 89.9, 90에 ○표
9. 97, 96.6, 101, 100.7에 ○표
10. 108.2, 114, 113.3에 ○표

31쪽

11. 430원
12. 목포, 여수

13 일차 연산&문장제 마무리

32쪽

1 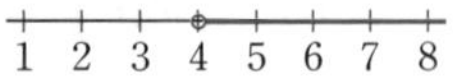

2 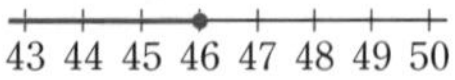

3 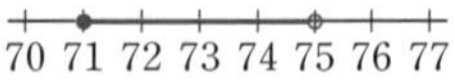

4 31 이상인 수

5 55 미만인 수

6 61 초과 66 이하인 수

7 15.6, 14, 18에 ○표

8 31, 46에 ○표

9 23, 8, 17에 ○표

10 19, 29에 ○표

11 26, 31.6, 32, 31에 ○표

12 57, 40.1에 ○표

13 60, 78, 94에 ○표

33쪽

14 13, 10.5, 9에 ○표

15 15, 17, 14.6에 ○표

16 37, 29, 26.7, 23에 ○표

17 31.9, 34, 28에 ○표

18 50, 55, 49에 ○표

19 15.6, 17, 13, 18에 ○표

20 19, 22, 21.9에 ○표

21 39, 46.8, 45, 43.6에 ○표

22 50.2, 48, 42.1에 ○표

23 50, 48, 49.7에 ○표

34쪽

24 3명

25 가, 라

26 지리급

27 5000원

2. 어림하기

01 일차 1. 자연수의 올림

36쪽

1 110
2 220
3 460
4 730
5 1010
6 3200
7 5380
8 8110
9 12020
10 34910
11 300
12 600
13 700
14 1100
15 2800
16 4300
17 7200

37쪽

18 10000
19 17200
20 41200
21 65300
22 3000
23 4000
24 5000
25 7000
26 9000
27 11000
28 32000
29 56000
30 63000
31 85000
32 20000
33 30000
34 40000
35 50000
36 60000
37 80000
38 100000

02 일차 1. 자연수의 올림

38쪽

1 180, 200
2 520, 600
3 850, 900
4 1030, 2000
5 4720, 5000
6 10920, 20000
7 23740, 30000
8 1100, 2000
9 3600, 4000
10 18200, 19000
11 35300, 40000
12 48400, 50000
13 51000, 60000
14 80000, 80000

39쪽

15 300 cm
16 11대
17 12000원
18 3번

03 일차 2. 소수의 올림

40쪽

1 1
2 2
3 4
4 7
5 1
6 2
7 3
8 5
9 1
10 3
11 0.2
12 1.4
13 3.5
14 4.1
15 6.2
16 8
17 9.3

41쪽

18 0.2
19 1.7
20 2.8
21 4
22 5.2
23 7.7
24 9.3
25 0.03
26 0.42
27 1.21
28 1.96
29 2.39
30 3.28
31 4.06
32 5.81
33 6.72
34 7.36
35 8.05
36 9.51
37 11.92
38 13.84

2. 소수의 올림

42쪽

1. 1, 0.4
2. 3, 2.3
3. 5, 4.2
4. 9, 8.3
5. 2, 1.03
6. 3, 2.48
7. 5, 4.74
8. 7, 6.91
9. 8, 7.72
10. 8.1, 8.04
11. 9.4, 9.37
12. 10.9, 10.82
13. 12.1, 12.03
14. 17.3, 17.27

43쪽

15. 2장
16. 0.54 kg
17. 5개
18. 13개

05 일차

3. 자연수의 버림

44쪽

1. 130
2. 250
3. 560
4. 730
5. 1100
6. 2270
7. 4760
8. 7230
9. 13820
10. 36470
11. 200
12. 400
13. 700
14. 1200
15. 3500
16. 5400
17. 6200

45쪽

18. 8700
19. 15300
20. 32400
21. 56300
22. 2000
23. 4000
24. 5000
25. 7000
26. 9000
27. 14000
28. 24000
29. 43000
30. 74000
31. 92000
32. 10000
33. 20000
34. 40000
35. 50000
36. 60000
37. 80000
38. 90000

3. 자연수의 버림

46쪽

1. 270, 200
2. 430, 400
3. 760, 700
4. 2390, 2000
5. 6030, 6000
6. 20630, 20000
7. 33610, 30000
8. 2200, 2000
9. 5000, 5000
10. 12100, 12000
11. 20300, 20000
12. 56000, 50000
13. 62000, 60000
14. 80000, 80000

47쪽

15. 140마리
16. 1200개
17. 20000원
18. 14상자

4. 소수의 버림

48쪽

1 0
2 2
3 4
4 7
5 0
6 1
7 3
8 5
9 0
10 1
11 0.2
12 1.5
13 2
14 5.4
15 6.2
16 8.3
17 9.9

49쪽

18 0.3
19 1.6
20 2
21 4.8
22 6.3
23 7.9
24 8.3
25 0.13
26 0.62
27 1.54
28 1.8
29 2.23
30 3.69
31 4.07
32 5.53
33 6.07
34 7.91
35 9.2
36 10.45
37 13.73
38 15.61

08 일차

4. 소수의 버림

50쪽

1 0, 0.2
2 3, 3
3 5, 5.6
4 8, 8.4
5 2, 2.19
6 4, 4.02
7 6, 6.62
8 7, 7.83
9 8, 8.6
10 9, 9.08
11 10.5, 10.51
12 12.3, 12.36
13 16.3, 16.32
14 19, 19.07

51쪽

15 4986병
16 64.8 kg
17 12개
18 157개

09 일차

5. 자연수의 반올림

52쪽

1 130
2 320
3 570
4 630
5 840
6 1130
7 4280
8 6310
9 11430
10 27060
11 100
12 500
13 700
14 1200
15 3200
16 5400
17 8700

53쪽

18 9000
19 14400
20 38600
21 63300
22 1000
23 2000
24 6000
25 7000
26 10000
27 11000
28 15000
29 42000
30 77000
31 82000
32 20000
33 20000
34 30000
35 50000
36 60000
37 90000
38 90000

10일차 5. 자연수의 반올림

54쪽

1 230, 200
2 660, 700
3 900, 900
4 1120, 1000
5 3520, 4000
6 10010, 10000
7 21880, 20000
8 4200, 4000
9 6600, 7000
10 14000, 14000
11 20300, 20000
12 56300, 60000
13 79000, 80000
14 82000, 80000

55쪽

15 2890문제
16 2200개
17 34000명
18 320000명

11일차 6. 소수의 반올림

56쪽

1 1
2 2
3 5
4 8
5 0
6 2
7 3
8 6
9 1
10 1
11 0.3
12 1.6
13 2
14 5.5
15 6.3
16 8.4
17 9.9

57쪽

18 0.3
19 1.5
20 2.1
21 4.8
22 6.3
23 8
24 8.4
25 0.14
26 0.63
27 1.54
28 1.8
29 2.23
30 3.69
31 4.07
32 5.54
33 6.07
34 7.91
35 9.21
36 10.46
37 13.74
38 15.62

12일차 6. 소수의 반올림

58쪽

1 0, 0.1
2 1, 1.3
3 3, 2.6
4 4, 4.1
5 6, 5.93
6 6, 6.21
7 8, 7.68
8 8, 8.39
9 10, 9.61
10 10.8, 10.8
11 11.4, 11.44
12 13.6, 13.65
13 15.9, 15.89
14 18.1, 18.15

59쪽

15 46 kg
16 2.2 km
17 1.1 m
18 1.49 t

13일차 연산&문장제 마무리

60쪽

1 760
2 1300
3 7000
4 20000
5 1
6 1.2
7 2.1
8 590
9 2500
10 5000
11 20000
12 1
13 2.1
14 3.64

61쪽

15 690
16 3900
17 5000
18 50000
19 5
20 5.1
21 8
22 430, 420, 430
23 900, 800, 900
24 3000, 2000, 2000
25 40000, 30000, 40000
26 4, 3, 3
27 6.2, 6.1, 6.2
28 9.93, 9.92, 9.92

62쪽

29 800개
30 13개
31 28000원
32 83개
33 60000명
34 7 cm

3. 분수의 곱셈 (1)

01 일차 1. (진분수)×(자연수)

64쪽

1 5, $1\frac{2}{3}$

2 27, $6\frac{3}{4}$

3 15, 15, $3\frac{3}{4}$

4 4, 4, $1\frac{1}{3}$

5 3, 27, $13\frac{1}{2}$

6 3, 33, $16\frac{1}{2}$

7 4, 8, $1\frac{3}{5}$

8 5, 35, $17\frac{1}{2}$

65쪽

9 $3\frac{1}{2}$

10 $1\frac{3}{5}$

11 6

12 $5\frac{5}{11}$

13 $3\frac{3}{4}$

14 $3\frac{2}{3}$

15 $1\frac{7}{19}$

16 $12\frac{3}{4}$

17 $5\frac{4}{7}$

18 $4\frac{8}{23}$

19 $16\frac{1}{2}$

20 $6\frac{6}{13}$

21 $\frac{27}{28}$

22 $2\frac{2}{29}$

23 $6\frac{3}{4}$

24 $10\frac{2}{3}$

25 $3\frac{11}{35}$

26 $5\frac{1}{3}$

27 $8\frac{3}{4}$

28 $10\frac{5}{6}$

29 $16\frac{2}{5}$

02 일차 1. (진분수)×(자연수)

66쪽

1 $4\frac{2}{3}$

2 $1\frac{1}{4}$

3 20

4 $3\frac{3}{7}$

5 45

6 $11\frac{2}{3}$

7 $5\frac{11}{17}$

8 $32\frac{1}{2}$

9 $2\frac{4}{25}$

10 $11\frac{1}{9}$

11 $8\frac{1}{2}$

12 $2\frac{18}{31}$

13 $4\frac{1}{2}$

14 $26\frac{1}{4}$

15 28

16 $1\frac{7}{41}$

17 $6\frac{19}{21}$

18 $1\frac{1}{44}$

19 $6\frac{1}{4}$

20 $8\frac{4}{7}$

21 $13\frac{1}{5}$

67쪽

22 6판

23 $\frac{8}{9}$ kg

24 $5\frac{1}{4}$ m

25 10 L

03 일차 2. (대분수) × (자연수)

68쪽

1 5, 25, $12\frac{1}{2}$

2 11, 99, $24\frac{3}{4}$

3 11, 2, 22, $7\frac{1}{3}$

4 25, 3, 75, $37\frac{1}{2}$

5 3, 2, 18, 12, 18, 1, 5, $19\frac{5}{7}$

6 1, 7, 5, 10, 35, 10, 8, 3, $18\frac{3}{4}$

7 2, 8, 2, 44, 60

69쪽

8 $11\frac{2}{3}$

9 27

10 $13\frac{1}{5}$

11 $17\frac{2}{7}$

12 $18\frac{2}{3}$

13 $40\frac{1}{2}$

14 $9\frac{9}{11}$

15 $12\frac{1}{12}$

16 $10\frac{2}{13}$

17 69

18 $46\frac{1}{2}$

19 $19\frac{1}{3}$

20 $7\frac{5}{19}$

21 78

22 $86\frac{2}{3}$

23 $73\frac{1}{2}$

24 $8\frac{5}{23}$

25 $32\frac{4}{13}$

26 $55\frac{1}{3}$

27 $61\frac{1}{2}$

28 $90\frac{3}{4}$

04 일차 2. (대분수) × (자연수)

70쪽

1 $40\frac{1}{2}$

2 $64\frac{1}{2}$

3 $19\frac{3}{7}$

4 26

5 78

6 $8\frac{3}{11}$

7 $11\frac{1}{3}$

8 $92\frac{1}{2}$

9 $8\frac{4}{15}$

10 $40\frac{1}{2}$

11 $25\frac{8}{19}$

12 $52\frac{4}{7}$

13 $7\frac{7}{22}$

14 $8\frac{14}{23}$

15 $77\frac{1}{4}$

16 $13\frac{1}{5}$

17 $7\frac{26}{27}$

18 $22\frac{1}{2}$

19 $88\frac{1}{2}$

20 172

21 $93\frac{3}{4}$

71쪽

22 $19\frac{2}{3}$ kg

23 $10\frac{1}{16}$ cm

24 $9\frac{9}{10}$ L

25 $13\frac{3}{4}$ m

05 일차 3. (분수) × (자연수)

72쪽

1. $2\frac{1}{2}$
2. $2\frac{2}{3}$
3. $10\frac{1}{2}$
4. $7\frac{6}{7}$
5. $5\frac{1}{3}$
6. $6\frac{3}{10}$
7. 24
8. $18\frac{1}{3}$
9. $8\frac{5}{14}$
10. $2\frac{2}{3}$
11. $17\frac{1}{2}$
12. 24
13. $22\frac{1}{2}$
14. $3\frac{1}{3}$
15. $8\frac{3}{4}$
16. $4\frac{8}{25}$
17. $34\frac{1}{2}$
18. $6\frac{2}{3}$
19. $40\frac{1}{2}$
20. $1\frac{6}{29}$
21. $47\frac{1}{2}$
22. $\frac{21}{32}$
23. $22\frac{2}{3}$
24. $3\frac{9}{13}$

73쪽

25. $21\frac{1}{3}$
26. 32
27. $34\frac{1}{2}$
28. $22\frac{2}{7}$
29. $76\frac{1}{2}$
30. $13\frac{8}{9}$
31. 172
32. $5\frac{4}{13}$
33. 39
34. $8\frac{2}{17}$
35. $73\frac{1}{3}$
36. $9\frac{9}{20}$
37. $45\frac{1}{3}$
38. $43\frac{1}{2}$
39. 52
40. $9\frac{1}{13}$
41. $51\frac{2}{3}$
42. $16\frac{1}{4}$
43. $49\frac{1}{2}$
44. $23\frac{1}{2}$
45. $5\frac{29}{35}$

06 일차 4. (자연수) × (진분수)

74쪽

1. 2, 6, $1\frac{1}{5}$
2. 20, 20, $6\frac{2}{3}$
3. 3, 9, $4\frac{1}{2}$
4. 1, 11, $2\frac{1}{5}$
5. $4\frac{1}{2}$
6. $5\frac{1}{3}$
7. $7\frac{1}{2}$
8. $3\frac{3}{7}$
9. $12\frac{1}{2}$
10. $6\frac{2}{3}$
11. $7\frac{1}{2}$

75쪽

12. $2\frac{6}{13}$
13. 13
14. $1\frac{10}{17}$
15. $6\frac{1}{2}$
16. $5\frac{1}{4}$
17. $5\frac{2}{3}$
18. $2\frac{2}{23}$
19. $6\frac{1}{2}$
20. 12
21. $3\frac{5}{7}$
22. $2\frac{12}{29}$
23. $1\frac{9}{31}$
24. $11\frac{1}{4}$
25. $5\frac{8}{11}$
26. $28\frac{1}{2}$
27. $3\frac{1}{4}$
28. $2\frac{10}{37}$
29. $10\frac{1}{2}$
30. $1\frac{5}{8}$
31. $1\frac{5}{43}$
32. $23\frac{1}{4}$

07 일차

4. (자연수) × (진분수)

76쪽

1 6
2 $3\frac{3}{5}$
3 $11\frac{2}{3}$
4 $2\frac{2}{3}$
5 $4\frac{6}{11}$
6 10
7 $1\frac{17}{19}$
8 $19\frac{1}{2}$
9 $2\frac{17}{23}$
10 $6\frac{2}{5}$
11 $8\frac{1}{2}$
12 $10\frac{2}{3}$
13 $16\frac{1}{2}$
14 $16\frac{2}{3}$
15 $4\frac{4}{5}$
16 $6\frac{6}{19}$
17 $1\frac{8}{13}$
18 $2\frac{38}{41}$
19 $2\frac{6}{7}$
20 $3\frac{5}{6}$
21 $19\frac{1}{2}$

77쪽

22 $8\frac{1}{4}$ kg
23 $10\frac{2}{5}$ m
24 15명
25 176 cm^2

08 일차

5. (자연수) × (대분수)

78쪽

1 3, 9, $4\frac{1}{2}$
2 3, 7, 21, $10\frac{1}{2}$
3 4, 2, 12, 6, $12\frac{6}{7}$
4 1, 1, 11, 6, 11, 6, 5, 1, $11\frac{1}{2}$
5 $17\frac{1}{2}$
6 38
7 $8\frac{2}{5}$
8 $16\frac{1}{2}$
9 $28\frac{3}{4}$
10 34
11 $11\frac{1}{2}$

79쪽

12 $7\frac{5}{11}$
13 $55\frac{1}{2}$
14 66
15 $6\frac{1}{4}$
16 $7\frac{7}{17}$
17 $21\frac{2}{3}$
18 $8\frac{13}{19}$
19 $43\frac{1}{2}$
20 $10\frac{10}{23}$
21 $44\frac{1}{2}$
22 $42\frac{2}{5}$
23 $13\frac{3}{13}$
24 $38\frac{2}{3}$
25 $48\frac{1}{2}$
26 $21\frac{15}{31}$
27 $61\frac{1}{4}$
28 $3\frac{15}{34}$
29 $49\frac{3}{5}$
30 $7\frac{7}{36}$
31 $15\frac{12}{19}$
32 $41\frac{2}{3}$

09 일차 5. (자연수)×(대분수)

80쪽

1 $17\frac{1}{3}$
2 $22\frac{1}{2}$
3 $22\frac{6}{7}$
4 $51\frac{2}{3}$
5 $12\frac{12}{13}$
6 $76\frac{1}{2}$
7 86
8 $7\frac{11}{19}$
9 $18\frac{17}{21}$
10 $16\frac{9}{11}$
11 $39\frac{3}{4}$
12 $9\frac{2}{3}$
13 $23\frac{1}{2}$
14 $94\frac{2}{3}$
15 $68\frac{2}{3}$
16 $4\frac{23}{34}$
17 $61\frac{1}{7}$
18 $19\frac{17}{37}$
19 $12\frac{9}{11}$
20 $31\frac{1}{2}$
21 $7\frac{6}{7}$

81쪽

22 $18\frac{1}{8}$ m^2
23 51번
24 $16\frac{3}{5}$ cm
25 700 m

10 일차 6. (자연수)×(분수)

82쪽

1 $2\frac{1}{3}$
2 $7\frac{1}{5}$
3 $5\frac{5}{7}$
4 $10\frac{1}{2}$
5 36
6 $8\frac{1}{6}$
7 16
8 $19\frac{1}{2}$
9 $5\frac{5}{7}$
10 $6\frac{3}{22}$
11 $2\frac{1}{24}$
12 $14\frac{2}{3}$
13 $3\frac{3}{4}$
14 16
15 $1\frac{25}{31}$
16 $4\frac{1}{2}$
17 $2\frac{1}{6}$
18 $2\frac{16}{37}$
19 $15\frac{3}{4}$
20 $10\frac{5}{9}$
21 $3\frac{19}{23}$
22 $\frac{36}{47}$
23 $4\frac{1}{4}$
24 $6\frac{6}{7}$

83쪽

25 $49\frac{1}{2}$
26 $21\frac{3}{5}$
27 68
28 $8\frac{5}{9}$
29 74
30 $5\frac{5}{11}$
31 $50\frac{1}{6}$
32 $24\frac{3}{5}$
33 $6\frac{17}{18}$
34 $27\frac{3}{5}$
35 $62\frac{1}{2}$
36 $85\frac{1}{5}$
37 $82\frac{1}{2}$
38 $41\frac{1}{3}$
39 $5\frac{3}{29}$
40 $8\frac{12}{31}$
41 $41\frac{1}{2}$
42 $9\frac{21}{38}$
43 $20\frac{5}{13}$
44 $70\frac{5}{6}$
45 $48\frac{2}{3}$

11 일차 7. (단위분수) × (단위분수)

84쪽

1 3, 6
2 7, 28
3 5, 30
4 8, 64
5 $\frac{1}{15}$
6 $\frac{1}{21}$
7 $\frac{1}{81}$
8 $\frac{1}{60}$
9 $\frac{1}{88}$
10 $\frac{1}{84}$
11 $\frac{1}{39}$
12 $\frac{1}{98}$
13 $\frac{1}{90}$
14 $\frac{1}{64}$
15 $\frac{1}{85}$
16 $\frac{1}{72}$
17 $\frac{1}{38}$
18 $\frac{1}{60}$

85쪽

19 $\frac{1}{80}$ m^2
20 $\frac{1}{10}$ kg
21 $\frac{1}{27}$
22 $\frac{1}{60}$

12 일차 8. (단위분수) × (진분수), (진분수) × (단위분수)

86쪽

1 7, 2, $\frac{7}{18}$
2 3, 3
3 2, 2
4 1, 1
5 5, 4, $\frac{5}{24}$
6 1, 1
7 3, 3
8 2, 2

87쪽

9 $\frac{2}{21}$
10 $\frac{2}{9}$
11 $\frac{2}{29}$
12 $\frac{3}{64}$
13 $\frac{5}{88}$
14 $\frac{2}{35}$
15 $\frac{3}{62}$
16 $\frac{2}{49}$
17 $\frac{1}{24}$
18 $\frac{2}{53}$
19 $\frac{2}{75}$
20 $\frac{2}{25}$
21 $\frac{6}{49}$
22 $\frac{2}{45}$
23 $\frac{1}{48}$
24 $\frac{9}{56}$
25 $\frac{1}{45}$
26 $\frac{1}{40}$
27 $\frac{1}{72}$
28 $\frac{2}{93}$
29 $\frac{5}{86}$

13 일차 8. (단위분수)×(진분수), (진분수)×(단위분수)

88쪽

1 $\frac{2}{45}$
2 $\frac{2}{17}$
3 $\frac{7}{78}$
4 $\frac{5}{56}$
5 $\frac{3}{70}$
6 $\frac{5}{88}$
7 $\frac{2}{37}$
8 $\frac{3}{82}$
9 $\frac{3}{80}$
10 $\frac{1}{35}$
11 $\frac{2}{87}$
12 $\frac{3}{16}$
13 $\frac{1}{6}$
14 $\frac{4}{63}$
15 $\frac{1}{33}$
16 $\frac{1}{68}$
17 $\frac{1}{57}$
18 $\frac{17}{63}$
19 $\frac{4}{81}$
20 $\frac{2}{93}$
21 $\frac{5}{72}$

89쪽

22 $\frac{2}{5}\,m^2$
23 $\frac{3}{25}$ L
24 $\frac{2}{27}$
25 $\frac{2}{33}$

14 일차 연산&문장제 마무리

90쪽

1 $10\frac{1}{2}$
2 $4\frac{8}{13}$
3 $\frac{9}{16}$
4 $5\frac{1}{3}$
5 $6\frac{4}{5}$
6 $11\frac{1}{2}$
7 $18\frac{3}{5}$
8 $16\frac{1}{3}$
9 $7\frac{3}{5}$
10 $8\frac{6}{7}$
11 $30\frac{2}{3}$
12 $18\frac{1}{3}$
13 $4\frac{25}{29}$
14 $11\frac{3}{4}$
15 $5\frac{1}{2}$
16 $5\frac{4}{9}$
17 36
18 $4\frac{1}{6}$
19 $2\frac{1}{13}$
20 $10\frac{4}{5}$
21 $18\frac{1}{8}$

91쪽

22 $10\frac{6}{7}$
23 $40\frac{1}{2}$
24 $7\frac{4}{13}$
25 $5\frac{2}{17}$
26 $28\frac{5}{7}$
27 $63\frac{3}{4}$
28 $50\frac{1}{4}$
29 $19\frac{2}{3}$
30 $\frac{1}{18}$
31 $\frac{1}{25}$
32 $\frac{1}{70}$
33 $\frac{1}{48}$
34 $\frac{1}{90}$
35 $\frac{1}{52}$
36 $\frac{1}{75}$
37 $\frac{1}{51}$
38 $\frac{7}{20}$
39 $\frac{2}{75}$
40 $\frac{3}{52}$
41 $\frac{1}{60}$
42 $\frac{3}{80}$
43 $\frac{1}{51}$
44 $\frac{11}{96}$
45 $\frac{3}{64}$

92쪽

46 $16\frac{2}{3}$ kg
47 $7\frac{4}{5}$ m
48 14 L
49 185 cm
50 $\frac{1}{12}$
51 $\frac{17}{40}$ kg

4. 분수의 곱셈 (2)

01 일차 1. (진분수) × (진분수)

94쪽

1 3, 10, $\frac{3}{20}$

2 4, 5, $\frac{8}{15}$

3 3, 7, 7, 7

4 1, 4

5 3, 15

6 3, 1, 3

7 1, 7

8 1, 1, 1

95쪽

9 $\frac{1}{3}$

10 $\frac{8}{25}$

11 $\frac{7}{48}$

12 $\frac{15}{49}$

13 $\frac{3}{40}$

14 $\frac{10}{23}$

15 $\frac{21}{41}$

16 $\frac{6}{55}$

17 $\frac{40}{91}$

18 $\frac{9}{22}$

19 $\frac{5}{24}$

20 $\frac{11}{54}$

21 $\frac{1}{8}$

22 $\frac{3}{28}$

23 $\frac{7}{10}$

24 $\frac{4}{15}$

25 $\frac{3}{20}$

26 $\frac{20}{27}$

27 $\frac{5}{12}$

28 $\frac{1}{6}$

29 $\frac{15}{44}$

02 일차 1. (진분수) × (진분수)

96쪽

1 $\frac{8}{21}$

2 $\frac{6}{11}$

3 $\frac{4}{9}$

4 $\frac{2}{35}$

5 $\frac{15}{64}$

6 $\frac{1}{15}$

7 $\frac{8}{15}$

8 $\frac{35}{66}$

9 $\frac{3}{16}$

10 $\frac{7}{15}$

11 $\frac{21}{85}$

12 $\frac{1}{3}$

13 $\frac{24}{49}$

14 $\frac{2}{69}$

15 $\frac{3}{125}$

16 $\frac{3}{8}$

17 $\frac{5}{12}$

18 $\frac{16}{45}$

19 $\frac{35}{96}$

20 $\frac{4}{9}$

21 $\frac{45}{128}$

97쪽

22 $\frac{1}{4}$

23 $\frac{5}{27}$ km

24 $\frac{4}{11}$

25 $\frac{5}{18}$ kg

03 일차 2. (진분수)×(대분수), (대분수)×(진분수)

98쪽

1. 1, 2, $\frac{1}{2}$
2. 9, 3, 16, 27, $1\frac{11}{16}$
3. 1, 17, 17, $1\frac{8}{9}$
4. 3, 1, 5, 9, 3, 45, 6, 51, $1\frac{11}{40}$
5. 1, 2, 1, 3, 2, 9, 4, 13

99쪽

6. $\frac{14}{15}$
7. $1\frac{7}{20}$
8. $1\frac{3}{16}$
9. $1\frac{1}{9}$
10. $1\frac{1}{3}$
11. $\frac{9}{10}$
12. $2\frac{2}{3}$
13. $\frac{15}{34}$
14. $\frac{1}{5}$
15. $\frac{14}{15}$
16. $1\frac{1}{8}$
17. $\frac{7}{18}$
18. 9
19. $\frac{9}{14}$
20. $2\frac{47}{64}$
21. $1\frac{13}{27}$
22. $\frac{9}{10}$
23. $\frac{15}{16}$
24. $\frac{9}{16}$
25. $2\frac{5}{26}$
26. $1\frac{1}{3}$

04 일차 2. (진분수)×(대분수), (대분수)×(진분수)

100쪽

1. $2\frac{4}{5}$
2. $1\frac{3}{5}$
3. $\frac{11}{54}$
4. $1\frac{5}{16}$
5. $\frac{3}{5}$
6. $1\frac{1}{2}$
7. $1\frac{1}{13}$
8. 2
9. $4\frac{2}{3}$
10. $2\frac{1}{32}$
11. $1\frac{5}{29}$
12. $1\frac{7}{9}$
13. $\frac{16}{95}$
14. $2\frac{2}{3}$
15. $2\frac{1}{7}$
16. $\frac{39}{88}$
17. $\frac{2}{3}$
18. $1\frac{17}{18}$
19. $\frac{44}{49}$
20. $2\frac{1}{12}$
21. $1\frac{2}{3}$

101쪽

22. $1\frac{1}{24}$ m
23. $1\frac{2}{5}$ kg
24. $1\frac{1}{2}$ cm
25. 6 m^2

05 일차 3. (대분수) × (대분수)

102쪽

1. 5, 8, 40, $1\frac{19}{21}$
2. 3, 7, 9, 27, $3\frac{6}{7}$
3. 2, 5, 2, 5, 5, 40, 25, 120, 25, 145, $5\frac{10}{27}$
4. 4, 22, 4, 2, 22, 8, 30, 2

103쪽

5. $1\frac{7}{8}$
6. 12
7. 5
8. $7\frac{2}{9}$
9. $1\frac{23}{49}$
10. $9\frac{3}{7}$
11. $4\frac{2}{11}$
12. $8\frac{3}{4}$
13. $3\frac{8}{9}$
14. $3\frac{1}{4}$
15. $1\frac{1}{2}$
16. 6
17. $3\frac{1}{3}$
18. $2\frac{1}{8}$
19. $2\frac{12}{13}$
20. $11\frac{1}{5}$
21. $2\frac{4}{7}$
22. 4
23. $3\frac{8}{9}$
24. $2\frac{17}{23}$
25. $3\frac{1}{2}$

06 일차 3. (대분수) × (대분수)

104쪽

1. $7\frac{1}{14}$
2. $5\frac{2}{3}$
3. 5
4. $1\frac{9}{25}$
5. $8\frac{1}{10}$
6. $2\frac{13}{21}$
7. $6\frac{4}{5}$
8. $3\frac{5}{24}$
9. $4\frac{6}{7}$
10. $1\frac{22}{27}$
11. $6\frac{3}{4}$
12. $1\frac{9}{11}$
13. $2\frac{1}{3}$
14. $2\frac{38}{65}$
15. $4\frac{2}{3}$
16. $1\frac{5}{16}$
17. $8\frac{3}{4}$
18. $3\frac{1}{19}$
19. $1\frac{27}{28}$
20. $3\frac{11}{15}$
21. $2\frac{13}{18}$

105쪽

22. $30\frac{1}{4}$ cm^2
23. $11\frac{1}{3}$ m^2
24. $12\frac{2}{15}$ km

07 일차 4. (분수)×(분수)

106쪽

1 $\frac{1}{7}$
2 $\frac{2}{3}$
3 $\frac{2}{9}$
4 $\frac{6}{35}$
5 $\frac{5}{27}$
6 $\frac{3}{20}$
7 $\frac{4}{99}$
8 $\frac{2}{5}$
9 $\frac{15}{98}$
10 $\frac{2}{9}$
11 $\frac{1}{4}$
12 $\frac{7}{24}$
13 $\frac{4}{15}$
14 $\frac{2}{9}$
15 $\frac{1}{12}$
16 $\frac{14}{27}$
17 3
18 $\frac{13}{36}$
19 $2\frac{2}{3}$
20 $\frac{5}{8}$
21 $1\frac{1}{15}$
22 $\frac{14}{15}$
23 $8\frac{1}{10}$
24 1

107쪽

25 $\frac{5}{14}$
26 5
27 $1\frac{19}{56}$
28 $1\frac{2}{9}$
29 $2\frac{6}{37}$
30 $\frac{7}{30}$
31 $1\frac{1}{9}$
32 $9\frac{5}{8}$
33 4
34 $6\frac{6}{7}$
35 $5\frac{4}{7}$
36 $16\frac{2}{3}$
37 10
38 $3\frac{3}{7}$
39 $1\frac{7}{15}$
40 6
41 $2\frac{2}{9}$
42 $2\frac{2}{5}$
43 $6\frac{1}{8}$
44 $5\frac{1}{2}$
45 $11\frac{2}{3}$

08 일차 5. 세 분수의 곱 (1)

108쪽

1 2, 9, $\frac{1}{18}$, $\frac{1}{108}$
2 1, 1, 7, $\frac{1}{7}$, $\frac{5}{56}$
3 1, 7, 1, 6, $1\frac{1}{6}$
4 $\frac{1}{30}$
5 $\frac{5}{84}$
6 $\frac{27}{80}$
7 $\frac{2}{21}$
8 $\frac{7}{50}$
9 $\frac{1}{48}$
10 $\frac{1}{12}$

109쪽

11 $\frac{36}{85}$
12 $\frac{2}{13}$
13 $\frac{3}{20}$
14 $\frac{3}{25}$
15 $\frac{10}{33}$
16 $\frac{2}{15}$
17 $\frac{1}{22}$
18 $\frac{7}{24}$
19 $\frac{3}{4}$
20 2
21 $1\frac{1}{2}$
22 $1\frac{2}{3}$
23 $\frac{1}{3}$
24 $1\frac{1}{6}$
25 $2\frac{13}{36}$
26 $1\frac{13}{27}$
27 $4\frac{1}{5}$
28 $\frac{1}{3}$
29 $\frac{1}{4}$
30 $1\frac{7}{9}$
31 $\frac{25}{128}$

09 일차 5. 세 분수의 곱 (1)

110쪽

1 $\frac{5}{42}$

2 $\frac{1}{72}$

3 $\frac{4}{45}$

4 $\frac{9}{44}$

5 $\frac{5}{36}$

6 $\frac{3}{28}$

7 $\frac{1}{8}$

8 $\frac{9}{28}$

9 $\frac{4}{21}$

10 $\frac{1}{15}$

11 $3\frac{1}{3}$

12 $\frac{15}{28}$

13 $\frac{7}{24}$

14 $2\frac{4}{5}$

15 $3\frac{1}{3}$

16 $\frac{13}{21}$

17 $2\frac{1}{10}$

18 $\frac{1}{6}$

19 $3\frac{3}{4}$

20 $\frac{7}{40}$

21 $2\frac{2}{5}$

111쪽

22 $\frac{7}{27}$

23 $1\frac{1}{12}\,\text{km}^2$

24 $1\frac{1}{14}\,\text{kg}$

10 일차 6. 세 분수의 곱 (2)

112쪽

1 5, 5, 25

2 1, 2, 8, $1\frac{3}{5}$

3 1, 3, 2, 6

4 5, 1, 3, 15, $7\frac{1}{2}$

5 5, 1, 2, 10

6 $\frac{26}{45}$

7 $1\frac{2}{7}$

8 $2\frac{2}{3}$

9 $9\frac{3}{7}$

10 $2\frac{1}{3}$

11 $4\frac{2}{13}$

12 9

113쪽

13 $\frac{11}{27}$

14 $3\frac{1}{2}$

15 $1\frac{1}{3}$

16 $6\frac{1}{2}$

17 $3\frac{6}{7}$

18 $5\frac{5}{14}$

19 $1\frac{3}{7}$

20 $34\frac{2}{3}$

21 12

22 $4\frac{1}{6}$

23 $2\frac{7}{8}$

24 $8\frac{5}{9}$

25 35

26 $17\frac{1}{2}$

27 9

28 28

29 $13\frac{1}{2}$

30 $17\frac{1}{2}$

31 $11\frac{9}{11}$

32 $2\frac{6}{7}$

33 $6\frac{3}{8}$

11 일차 6. 세 분수의 곱 (2)

114쪽

1 $\frac{49}{100}$
2 $5\frac{1}{10}$
3 $\frac{3}{4}$
4 $2\frac{1}{6}$
5 $2\frac{38}{81}$
6 $1\frac{13}{15}$
7 $\frac{25}{27}$
8 $\frac{5}{12}$
9 9
10 $19\frac{3}{5}$
11 $\frac{3}{4}$
12 $25\frac{2}{3}$
13 $16\frac{2}{3}$
14 $8\frac{1}{4}$
15 $4\frac{2}{7}$
16 11
17 9
18 $27\frac{1}{2}$
19 $18\frac{2}{5}$
20 4
21 $10\frac{5}{7}$

115쪽

22 $4\frac{3}{8}\,\text{m}^2$
23 $1\frac{11}{16}\,\text{kg}$
24 $1210\,\text{cm}^2$

12 일차 연산&문장제 마무리

116쪽

1 $\frac{1}{13}$
2 $\frac{1}{4}$
3 $\frac{24}{35}$
4 $\frac{5}{28}$
5 $\frac{15}{56}$
6 $\frac{7}{30}$
7 $\frac{11}{26}$
8 $\frac{3}{35}$
9 $\frac{4}{9}$
10 $\frac{1}{6}$
11 $\frac{40}{81}$
12 $\frac{27}{40}$
13 1
14 $\frac{15}{28}$
15 $2\frac{1}{12}$
16 $1\frac{7}{8}$
17 $\frac{9}{10}$
18 $4\frac{1}{4}$
19 $1\frac{3}{4}$
20 $\frac{6}{7}$
21 $2\frac{1}{4}$

117쪽

22 $9\frac{1}{6}$
23 $7\frac{1}{8}$
24 $2\frac{3}{5}$
25 $1\frac{13}{36}$
26 $5\frac{1}{4}$
27 4
28 $3\frac{17}{20}$
29 $2\frac{1}{9}$
30 $5\frac{5}{6}$
31 $1\frac{1}{2}$
32 $4\frac{4}{5}$
33 $1\frac{2}{7}$
34 $\frac{10}{77}$
35 $\frac{1}{60}$
36 $\frac{14}{81}$
37 $\frac{44}{45}$
38 $3\frac{1}{9}$
39 $\frac{1}{2}$
40 $\frac{5}{6}$
41 $2\frac{2}{9}$
42 $\frac{11}{14}$
43 11
44 20
45 $4\frac{2}{3}$

118쪽

46 $\frac{3}{10}\,\text{kg}$
47 $3\frac{1}{2}\,\text{m}$
48 $7\frac{3}{7}\,\text{m}^2$
49 $\frac{7}{50}$
50 $13\frac{1}{3}\,\text{m}^2$

5. 소수의 곱셈 (1)

01 일차

1. (1보다 작은 소수)×(자연수)

120쪽

1 0.8
2 0.6
3 1.2
4 5.6
5 4.5
6 3.3
7 12
8 10.8
9 10.5
10 28.8
11 0.49
12 0.24
13 1.05
14 1.92
15 4.59
16 5.12
17 4.38

121쪽

18 2.1
19 8.32
20 15.93
21 7.93
22 20.5
23 1.2
24 1.6
25 2.5
26 7.2
27 7.2
28 29.4
29 17.1
30 0.15
31 0.5
32 3.78
33 6.48
34 6.63
35 26.6
36 14.88

02 일차

1. (1보다 작은 소수)×(자연수)

122쪽

1 1
2 1.8
3 4.8
4 8.1
5 9.3
6 6.8
7 19.6
8 0.21
9 3.76
10 2.52
11 4.74
12 14.56
13 21.7
14 39.13
15 4.9
16 2.8
17 14.8
18 0.9
19 3.92
20 16.65
21 24.65

123쪽

22 2.7 L
23 18.4 km
24 4.4 m
25 8.64 kg

03 일차

2. (1보다 큰 소수)×(자연수)

124쪽

1 11.2
2 10.8
3 38.5
4 37
5 68.8
6 85.4
7 113.4
8 201.6
9 145.6
10 16.08
11 6.3
12 23.04
13 45.64
14 66.06
15 43.35
16 27.69

125쪽

17 59.28
18 57.96
19 178.35
20 211.38
21 133.62
22 13.3
23 12.4
24 33.5
25 64.8
26 110.4
27 411.8
28 247
29 6.45
30 15.4
31 25.32
32 14.86
33 46.11
34 343.44
35 264.74

2. (1보다 큰 소수)×(자연수)

126쪽

1 6.4
2 25.8
3 47.6
4 48.5
5 77
6 96.9
7 325.6
8 2.04
9 31.44
10 51.45
11 25.83
12 72.98
13 113.25
14 115.56
15 23.2
16 79.8
17 223.6
18 8.7
19 20.45
20 138.88
21 210.56

127쪽

22 20 kg
23 25.2 L
24 33.75 g
25 55.66 m^2

05 일차

3. (소수)×(자연수)

128쪽

1 3
2 5.6
3 3.6
4 7.2
5 41.6
6 2.58
7 2.08
8 6.75
9 4.25
10 26.04
11 29.44
12 5.2
13 59.5
14 49
15 185.6
16 486.4
17 10.92
18 15.15
19 57.12
20 37.41
21 248.37

129쪽

22 2.1
23 2
24 5.4
25 28.2
26 26.4
27 0.16
28 2.56
29 4.7
30 6.84
31 26.07
32 19.95
33 8.4
34 15.2
35 22.8
36 248.4
37 168
38 17.04
39 11.44
40 66.78
41 97.72
42 279.14

06 일차

4. (자연수)×(1보다 작은 소수)

130쪽

1 3.2
2 1.5
3 3.6
4 6.3
5 1.6
6 4.2
7 5.6
8 21.5
9 48.8
10 36.8
11 0.14
12 3.36
13 2.45
14 4.32
15 3.57
16 1.92
17 6.03

131쪽

18 14.72
19 12.15
20 33.48
21 58.93
22 32.04
23 1.8
24 4.2
25 6.4
26 9.1
27 15.5
28 22.2
29 34
30 0.39
31 4.62
32 4.05
33 10.26
34 3.78
35 30.16
36 39.04

07 일차

4. (자연수) × (1보다 작은 소수)

132쪽

1 2.4
2 2.8
3 4
4 22.4
5 23.5
6 31.8
7 24.3
8 1.82
9 0.54
10 3.36
11 7.7
12 28.7
13 23.12
14 22.04
15 0.4
16 9
17 26.8
18 2.84
19 3.33
20 9.89
21 40.12

133쪽

22 1.8 L
23 10장
24 3.99 m
25 2.4 kg

08 일차

5. (자연수) × (1보다 큰 소수)

134쪽

1 8.2
2 24.8
3 46.2
4 69.3
5 9.6
6 27.5
7 40.8
8 187.2
9 200.6
10 4.32
11 17.19
12 29.52
13 6.2
14 28.14
15 42.35
16 31.68

135쪽

17 66.98
18 266.84
19 153.72
20 149.45
21 19.5
22 48
23 21.6
24 84.8
25 380
26 144.4
27 622.5
28 7.3
29 18.97
30 41.84
31 207.75
32 47.36
33 268.16
34 183.82

09 일차

5. (자연수) × (1보다 큰 소수)

136쪽

1 15.6
2 22
3 21.6
4 131.1
5 98
6 241.9
7 131.4
8 7.58
9 20.68
10 25.74
11 57.76
12 519.12
13 245.66
14 234.4
15 58.2
16 183.6
17 88.5
18 8.49
19 39.34
20 71.07
21 415.28

137쪽

22 2.6 L
23 60.8 kg
24 51.76 m^2
25 79.3 km

10 일차 6. (자연수) × (소수)

138쪽

1 1.4	8 1.76	15 34.5
2 0.9	9 17.11	16 474
3 13.6	10 45.58	17 35.56
4 41.4	11 9.94	18 21.24
5 30.5	12 23.2	19 159.84
6 2.88	13 60.9	20 81.06
7 2.1	14 52.7	21 295.74

139쪽

22 2.7	29 5.76	36 261.3
23 3	30 17.49	37 399
24 7.7	31 31.2	38 16.92
25 20.8	32 14.1	39 23.65
26 16.2	33 16.4	40 76.65
27 0.64	34 59.2	41 466.9
28 2.94	35 181.3	42 235.17

11 일차 연산 & 문장제 마무리

140쪽

1 2.1	8 11.41	15 4.97
2 4.94	9 3.6	16 23.28
3 30.6	10 5.29	17 323.3
4 263.9	11 179.22	18 6.48
5 11.2	12 2.1	19 40.48
6 2.04	13 339.3	20 58.4
7 34.2	14 222.6	21 116.64

141쪽

22 4	30 35.49	38 3.24
23 38.16	31 276.94	39 98.9
24 5	32 263.2	40 0.92
25 269.8	33 12.3	41 74.34
26 25.2	34 20.1	42 459.2
27 3.5	35 33.6	43 11.97
28 5.72	36 38.8	44 163.52
29 2.88	37 4.44	45 220.69

142쪽

46 33.6초
47 약 1.7 km
48 171.45 kg
49 55.2 cm
50 1.02 L
51 56.7 cm^2
52 98개

6. 소수의 곱셈 (2)

01 일차 1. (1보다 작은 소수)×(1보다 작은 소수)

144쪽

1 0.27
2 0.2
3 0.24
4 0.56
5 0.81
6 0.038
7 0.081
8 0.18
9 0.252
10 0.192
11 0.028
12 0.054
13 0.054
14 0.084
15 0.36
16 0.335
17 0.152

145쪽

18 0.0156
19 0.0374
20 0.0897
21 0.1288
22 0.224
23 0.08
24 0.18
25 0.35
26 0.4
27 0.172
28 0.175
29 0.342
30 0.084
31 0.052
32 0.495
33 0.427
34 0.0528
35 0.1632
36 0.0885

02 일차 1. (1보다 작은 소수)×(1보다 작은 소수)

146쪽

1 0.12
2 0.25
3 0.32
4 0.63
5 0.116
6 0.102
7 0.231
8 0.12
9 0.185
10 0.468
11 0.213
12 0.0864
13 0.0798
14 0.261
15 0.72
16 0.102
17 0.33
18 0.075
19 0.434
20 0.1558
21 0.1896

147쪽

22 0.28 m^2
23 0.344 kg
24 0.195 km
25 0.4543 m^2

03 일차 2. (1보다 큰 소수)×(1보다 큰 소수)

148쪽

1 2.38
2 4.14
3 7.7
4 24.3
5 5.248
6 6.993
7 15.351
8 1.924
9 10.498
10 12.975
11 32.34
12 30.204

149쪽

13 3.6972
14 6.1977
15 13.4832
16 19.966
17 3.12
18 18.13
19 13.68
20 30.24
21 9.766
22 12.177
23 13.392
24 11.178
25 18.98
26 20.592
27 26.516
28 8.4224
29 8.8264
30 17.8464

04 일차 2. (1보다 큰 소수)×(1보다 큰 소수)

150쪽

1 5.58
2 5.94
3 15.18
4 22.62
5 4.35
6 9.384
7 26.724
8 5.07
9 11.136
10 9.571
11 35.472
12 4.0344
13 12.5204
14 17.4048
15 8.28
16 5.516
17 14.49
18 6.304
19 21.595
20 10.4196
21 31.2858

151쪽

22 11.02 L
23 14.288 kg
24 20.868 kg
25 9.0443 cm

05 일차 3. (1보다 작은 소수)×(1보다 큰 소수)

152쪽

1 0.57
2 1.04
3 0.78
4 3.15
5 2.72
6 0.432
7 2.244
8 0.87
9 2.156
10 2.322
11 0.448
12 0.782
13 1.82
14 3.174
15 2.044

153쪽

16 0.3204
17 0.3975
18 1.1186
19 2.0538
20 0.54
21 1.8
22 1.26
23 3.44
24 0.692
25 1.902
26 1.836
27 0.57
28 1.272
29 5.005
30 2.914
31 1.1154
32 1.8966
33 2.2648

06 일차 3. (1보다 작은 소수)×(1보다 큰 소수)

154쪽

1 0.84
2 0.72
3 1.82
4 3.33
5 0.474
6 1.47
7 2.552
8 0.765
9 0.966
10 2.4
11 5.607
12 1.782
13 2.0178
14 2.1414
15 0.87
16 0.784
17 1.482
18 1.32
19 2.128
20 1.2288
21 2.9625

155쪽

22 0.64 L
23 1.338 kg
24 1.332 m^2
25 1.47 m

07 일차 4. (1보다 큰 소수)×(1보다 작은 소수)

156쪽

1 0.48
2 1.62
3 1.38
4 5.36
5 5.88
6 0.21
7 0.736
8 1.026
9 2.146
10 1.211
11 2.484
12 0.984
13 1.628
14 3.252
15 3.14
16 1.428

157쪽

17 0.4617
18 0.8022
19 1.8017
20 1.8972
21 1.4388
22 0.84
23 3.76
24 5.11
25 4.1
26 0.828
27 0.91
28 3.339
29 0.868
30 0.728
31 5.274
32 2.028
33 0.4704
34 2.4206
35 2.0034

08 일차 4. (1보다 큰 소수)×(1보다 작은 소수)

158쪽

1 1.75
2 2.28
3 3.1
4 3.84
5 1.054
6 0.645
7 2.574
8 0.652
9 4.064
10 2.481
11 3.936
12 1.2839
13 1.3225
14 3.0282
15 4.41
16 1.484
17 1.462
18 2.365
19 3.104
20 2.1046
21 1.1088

159쪽

22 2.52 kg
23 2.436 m
24 5.968 km
25 6.201 kg

09 일차 5. (소수)×(소수)

160쪽

1 0.18
2 0.145
3 0.224
4 0.098
5 0.1978
6 2.53
7 22.78
8 10.396
9 11.9
10 14.2008
11 1.32
12 0.925
13 1.458
14 1.088
15 0.882
16 1.14
17 0.408
18 0.924
19 1.005
20 4.208
21 1.8438

161쪽

22 0.24
23 0.3
24 0.068
25 0.513
26 0.0266
27 0.1998
28 9.75
29 5.012
30 7.488
31 6.9972
32 14.6828
33 1.14
34 0.708
35 2.464
36 0.988
37 2.2865
38 1.56
39 5.12
40 1.125
41 5.058
42 0.3575

10 일차

6. 곱의 소수점의 위치 (1)

162쪽

1 3, 30, 300
2 6.2, 62, 620
3 9.87, 98.7, 987
4 56, 560, 5600
5 0.9, 0.09, 0.009
6 2.3, 0.23, 0.023
7 17.4, 1.74, 0.174
8 681.6, 68.16, 6.816

163쪽

9 4, 40, 400
10 7.5, 75, 750
11 9.3, 93, 930
12 2.68, 26.8, 268
13 3.41, 34.1, 341
14 18, 180, 1800
15 28.5, 285, 2850
16 52.9, 529, 5290
17 72.14, 721.4, 7214
18 0.2, 0.02, 0.002
19 0.8, 0.08, 0.008
20 1.5, 0.15, 0.015
21 9.4, 0.94, 0.094
22 35.7, 3.57, 0.357
23 68.8, 6.88, 0.688
24 90.4, 9.04, 0.904
25 256, 25.6, 2.56
26 731, 73.1, 7.31

11 일차

6. 곱의 소수점의 위치 (1)

164쪽

1 2, 20, 200
2 7, 70, 700
3 3.6, 36, 360
4 8.4, 84, 840
5 5.19, 51.9, 519
6 7.28, 72.8, 728
7 45, 450, 4500
8 27.3, 273, 2730
9 66.4, 664, 6640
10 91.08, 910.8, 9108
11 0.4, 0.04, 0.004
12 0.6, 0.06, 0.006
13 2.1, 0.21, 0.021
14 5.3, 0.53, 0.053
15 8.9, 0.89, 0.089
16 12.2, 1.22, 0.122
17 48.4, 4.84, 0.484
18 76.3, 7.63, 0.763
19 501, 50.1, 5.01
20 856, 85.6, 8.56
21 927.3, 92.73, 9.273

165쪽

22 15.8 mm
23 5420 g
24 1.63 cm
25 3.52 kg

12 일차

7. 곱의 소수점의 위치 (2)

166쪽

1 1131, 11310
2 1269, 12690
3 3485, 34850
4 1568, 15680
5 11.52, 1.152
6 13.95, 1.395
7 30.66, 3.066
8 20.52, 2.052
9 0.1, 0.01
10 3.24, 0.324
11 0.84, 0.084
12 19.88, 1.988

167쪽

13 1824, 18240
14 1786, 17860
15 1378, 13780
16 2150.4, 21504
17 4693.5, 46935
18 9.57, 0.957
19 17.15, 1.715
20 27.09, 2.709
21 48.14, 4.814
22 23.04, 2.304
23 0.36, 0.036, 0.0036
24 0.48, 0.048, 0.0048
25 1.35, 0.135, 0.0135
26 0.9, 0.009, 0.0009
27 12.32, 1.232, 0.1232

13 일차

7. 곱의 소수점의 위치 (2)

168쪽

1 544, 0.544
2 1248, 12.48
3 8510, 0.851
4 1134, 1.134
5 29760, 29.76
6 20520, 2.052
7 3864, 38.64
8 1872, 1.872
9 20750, 2.075
10 0.21, 0.021
11 0.424, 0.424
12 1.08, 0.0108
13 0.075, 0.075
14 0.414, 0.0414
15 15.4, 0.0154
16 1.358, 1.358
17 0.1904, 0.1904
18 1.425, 0.1425

169쪽

19 18240 cm
20 28.8 L
21 0.16 m^2
22 0.08 kg

14 일차 연산&문장제 마무리

170쪽

1 0.45
2 1.56
3 0.144
4 3.408
5 1.364
6 11.3484
7 0.2491
8 2.08
9 25.35
10 0.788
11 0.203
12 1.71
13 5.803
14 9.468
15 13.34
16 0.64
17 2.2
18 32.078
19 2.982
20 1.131
21 0.2016

171쪽

22 1.731
23 0.438
24 20.736
25 0.763
26 1.6779
27 14.1831
28 26.578
29 0.3102
30 0.42
31 13.32
32 2.146
33 2.898
34 3.0932
35 0.9666
36 4.2458
37 2.0163
38 38.4, 384, 3840
39 40.9, 4.09, 0.409
40 739, 73.9, 7.39
41 3182, 3.182
42 1.5, 0.015
43 3.283, 3.283

172쪽

44 0.312 kg
45 12.648 cm
46 0.34 L
47 3.18 kg
48 8.145 m^2
49 207 m
50 0.21 kg

7. 평균

01 일차 1. 평균 구하기

174쪽

1. 9
2. 17
3. 24
4. 37
5. 54
6. 10
7. 19
8. 31
9. 46
10. 64

175쪽

11. 6
12. 12
13. 22
14. 36
15. 60
16. 85
17. 118
18. 10
19. 15
20. 30
21. 46
22. 71
23. 106
24. 134

02 일차 1. 평균 구하기

176쪽

1. 5개
2. 10개
3. 13 °C
4. 24개
5. 75점
6. 170 mL
7. 3개
8. 12개
9. 22 °C
10. 30 m
11. 77점
12. 225 mL

177쪽

13. 4시간
14. 23개
15. 88점
16. 119명
17. 245 mm
18. 5시간
19. 33개
20. 85점
21. 133명
22. 148 cm

03 일차 2. 평균 비교하기

178쪽

1. =
2. <
3. >
4. >
5. <
6. >
7. <
8. =

179쪽

9. <
10. >
11. <
12. <
13. <
14. <
15. >
16. <
17. >
18. <

2. 평균 비교하기

180쪽	181쪽
1 =	7 >
2 <	8 <
3 >	9 <
4 <	10 >
5 >	11 =
6 =	12 <

05 일차

3. 평균을 이용하여 자료 값 구하기

182쪽		183쪽	
1 10	6 11	11 6	18 11
2 16	7 24	12 16	19 16
3 39	8 67	13 32	20 53
4 88	9 111	14 92	21 82
5 151	10 188	15 132	22 108
		16 158	23 142
		17 229	24 200

06 일차

3. 평균을 이용하여 자료 값 구하기

184쪽		185쪽	
1 4	7 5	13 9	19 2
2 12	8 15	14 15	20 28
3 43	9 43	15 47	21 31
4 81	10 58	16 92	22 48
5 97	11 100	17 150	23 148
6 204	12 282	18 235	24 148

연산 마무리

186쪽

1	14	8	7개
2	16	9	14개
3	28	10	17개
4	34	11	28살
5	61	12	55개
6	80	13	123타
7	132	14	127명

187쪽

15	$<$	18	$=$
16	$>$	19	$>$
17	$=$	20	$<$
21	$=$		
22	$<$		
23	$<$		

188쪽

24	15	30	16
25	21	31	43
26	36	32	56
27	93	33	146
28	124	34	222
29	142	35	332

연산 노트

연산 노트

연산 노트

풍산자
연산
초등 수학 5-2

어휘력 자신감

하루 15분 즐거운 공부 습관

- 속담, 관용어, 한자 성어, 교과 어휘, 한자 어휘가 담긴 재미있는 글을 통한 어휘 · 어법 공부
- 국어, 사회, 과학 교과서 속 개념 용어를 통한 초등 교과 연계
- 맞춤법, 띄어쓰기, 발음 등 기초 어법 학습 완벽 수록!

독해력 자신감

긴 글은 빠르게! 어려운 글은 쉽게!

- 문학, 독서를 아우르는 흥미로운 주제를 통한 재미있는 독해 연습
- 주요 과목과 예체능 과목의 교과 지식을 통한 전 과목 학습
- 빠르고 쉽게 글을 읽을 수 있는 6개 독해 기술을 통한 독해 비법 전수

문해력 자신감

초등 학습 능력 향상의 비결

- 교과 내용과 연계된 다양한 영역, 주제의 지문 수록
- 글의 구조화 및 교과 개념과 관련된 배경지식의 확장
- 창의+융합 코너를 통한 융합 사고력, 문제 해결력 향상